U0044151

閱讀

人與世界跨越時空的連結

A
Very Short
Introduction

Reading

BELINDA JACK

貝琳達・傑克
著

呂玉嬋
譯

目錄

謹以此書

獻給我在英國薩里郡森德村皇家監獄的女性讀者友人

第一章

什麼是閱讀？

閱讀是什麼意思?

大多數人把閱讀視為理所當然之事，只有在教導他人閱讀時，我們才可能意識到閱讀是一個或一連串奇怪且複雜的過程。閱讀的神經學或神經心理學，至今仍然是一個相對原始的研究領域，但這並不會讓人感到驚訝。閱讀對我們有無數的影響，這些影響可以是可怕的、心靈的、情感的、情色的、激勵的、有趣的、有益的和有啟發性的……不勝枚舉，而且這些形容每個都能再深入解釋，因為一個人對情色的想法，未必與另一個人一致。性學家托馬斯．拉科爾（Thomas Laqueur）甚至認為，姑且不論閱讀內容為何，私下閱讀這件事本身就可能促使人手淫。他認為，想像力的刺激助長了自我陶醉和擺脫社會約束的自由感受。

在哪裡閱讀，與誰一塊閱讀，也影響了我們對於閱讀的理解與反應。大多數人有很長一段時間是靠他人朗讀來閱讀，這可能是我們孩提時代首次接觸文字。

在聽人朗讀的同時，我們也可以自己閱讀，就是邊聽邊讀，宗教場合的閱讀經常就是如此。我們在學校閱讀，在工作中閱讀，在家裡閱讀，用餐時閱讀，旅行時閱讀，在花園、在公園、在等待約會時、在海灘上、在圖書館等等地方閱讀。我們獨自閱讀，也會在社交聚會的空間閱讀。

我們或許會選擇遮掩正在閱讀的內容或選擇炫耀它，以此暗示我們的興趣，宣傳我們的政治或性別立場、教育程度、文化意識等等。閱讀內容可以成為一個強而有力的象徵，因此閱讀內容的實體可能和內容同樣重要。在閃米特語宗教（猶太教、基督教和伊斯蘭教），聖典可能是禮拜崇敬的對象，在許多的宗教活動中，信徒會高舉聖典、攜帶聖典遊行、親吻聖典等等，然而，關於閱讀的訊息，聖典的實體書能告訴我們的反而相對較少。一九六一年，有「紅寶書」之稱的《毛主席語錄》首次出版，到了一九六九年文化大革命的最高潮，可能已經印刷了七億四千萬冊，對於這本書今昔被閱讀的方式和讀者，我們所知甚少，但它的文化價值和象徵性價值可能會持續下去。

我們可以一次閱讀一樣東西，也可以多多少少同時閱讀多種資料。我們可能認為從一個文本跳躍到另一個文本是一種新現象，是數位閱讀時代的「點擊」所造成，但圖書館長久以來的方式，是允許讀者在同一時間或多或少同時查閱多卷資料。書輪（或稱閱讀輪，見圖1）發明於十六世紀，是一種大型旋轉書架，讓人方便查閱各種厚重書籍，可以在多本書之間來回閱讀。

我們不單只能讀實體書和電子書，也可以讀秒、讀數、讀畫、讀脣、讀心等等。大多數時候，我們認為閱讀是一個解讀文字和數位資料的過程，內容種類繁多，可能是T恤上的標識、詩歌、政治宣言、指南手冊（「指」和「手」暗示了這種體裁提供幫助和便利）、推特文、塗鴉、地圖、電話帳單、紋身、字典、部落格、維基百科、字謎提示、難以辨認的醫生處方（現在通常是列印，不是手寫）、法規、收銀機收據、電子書、食品包裝上的成分列表或食譜等等。在古代世界，閱讀甚至更為多樣，還包括了公共紀念碑上的銘文，不過讀得懂的人只是少數，但人人都明白那是國家權力的象徵。銘文可能不是以我們通常理解的意義

圖 1　十六世紀書輪（圖片來源：Wellcome Collection. Reproduced under the terms of the Creative Commons Attribution license (CC BY 4.0) https://creativecommons.org/licenses/by/4.0）

被閱讀，但對於眼睛看到它們的人來說都是有意義的。奧維德（Ovid，43 BCE–17/18 CE）描述過一封羅馬奴隸寄出的情書，那封信就寫在這個奴隸的身上。

有些閱讀形式，既有字面意義，也有隱喻意義。我們可能閱讀百科全書中的一則條目，而「百科全書般的淵博知識」的說法，暗示著識字將使我們獲得自己可能需要或想要知道的一切。不過，情況並非如此。「知識淵博」不光只要有閱讀能力，「識字」也不是一個毫無疑問的概念。我們知道，在歐洲中世紀及世界其他地區的其他時期，關於識字有著非常不同的觀念。艾莉諾．德．昆西夫人（Lady Eleanor De Quincy）不會寫字，但能閱讀三種語言（拉丁語、法語和英語），她委託製作了《蘭貝斯啟示錄》（*Lambeth Apocalypse*），這部書承襲了啟示錄虔誠手稿傳統，繪有豐富的插圖，閱讀這樣一本書，需要閱讀技巧，也需要一種冥想式閱讀能力，也就是閱讀時腦海中保持著一個神聖的形象，重要的是沉思，讀者必需「用心去讀」。同樣的道理，佛經是讓人讀的，但主要的目的還是讓讀者能夠熟記在心，佛經本身也是崇敬的對象（見圖2）。

圖 2　藏經閣（圖片來源：Christophe Boisvieux/age fotostock.）

學者認為，歐洲中世紀的文本旨在讓人以無數不同的方式閱讀——朗讀，默讀，單獨閱讀，或集體閱讀。文本兼具文字和圖像的雙重功能，在不同的語域，讀者吸收到程度不一的意義。法律文件上的印章和圖像必須與文本一起解釋。

我們可能培養出現代世界所認為的高水平讀寫能力，但不能保證我們能夠理解媒體上的文字。語言，無論是口頭的還是書面的，都非常狡猾，很容易引起誤解誤讀。就拿食譜來說，應該要是一篇寫得沒有絲毫疑問的文章，但如果說明不清，那麼做出來的菜可能一團糟（見圖 3）。

食譜說要「站五分鐘」。

〔雙關語：stand（站）應做「靜置」解。〕

圖 3　漫畫（圖片來源：© Nigel Sutherland.）

但如果連基本的說明步驟也容易遭到誤讀或誤解，我們如何理解成語、隱喻、比喻等讓語言得到有效運用的所有技巧，尤其是模稜兩可密度最高的文學語言呢？讀到「世界是一個舞臺」，我們明白其中的含意，但我們如何明白的？「閱讀」這個行為本身錯綜複雜，文學就是最佳例證。

為了理解閱讀，我們必須求助許許多多的學科——各種形式的歷史、文學和文本研究、心理學、現象學（事物的科學，非存在本質的科學）和社會學，此處僅列舉幾個自不待言的學科。研究書籍的歷史學家和文學學者主導這類研究，今日廣泛接受的觀點是：閱讀遠遠不只是解讀已先編碼的訊息。我們的閱讀受到各式各樣的制約，比方說，我們要閱讀的東西的外觀會激發某些期望，小說封面出現粉紅色高跟鞋，那便代表我們要閱讀的內容屬於「美眉文學」（Chick-Lit）。文本設計的每一個方面，無論是紙本還是電子形式，都影響著我們的閱讀。這些都不是小事。揚・齊修德（Jan Tschichold，1902–1974）是重要著作《書的形式》（*The Form of the Book*）的作者，他出生於德國，但由於納粹厭惡「新文字設計」運動（New Typography），他在一九三三年鋃鐺入獄。對於當代讀者來說，齊修德的信條在意識形態上是再純潔不過的了：「書籍的排版不能做廣告，如果它加入了廣告圖形的元素，就是濫用了文字的神聖性，迫使文字為無法履行其身為副手之責的平面設計師的虛榮心效命。」

閱讀是身體活動，也是精神活動，雖然我們已經開發出複雜的大腦成像技術，閱讀刺激神經通路的方式，多少仍然是一團謎。從身體的角度來看，或者說得更準確，從生理的角度來看，眼睛（讀點字書的話則是手指）必須「看」（或摸），然後辨識確認印刷的文字，接著觸發化學過程，產生發送到大腦的神經電流模式，最後由大腦皮層負責解讀這些訊息。眼睛參與不同的運動，首先是固定（目光停留），然後是內固定（眼睛從一個靜止點移動到另一個靜止點）和回掃（眼睛前後移動），也可能有跳視、回視和認知跨距。讀寫能力強的人容易掃視，也就是跳過正在閱讀的內容，為辨識後面的文本做準備。回視是回到文本的前面，重讀可能沒有完全理解的內容——也可能是再次享受。老練的讀者能夠

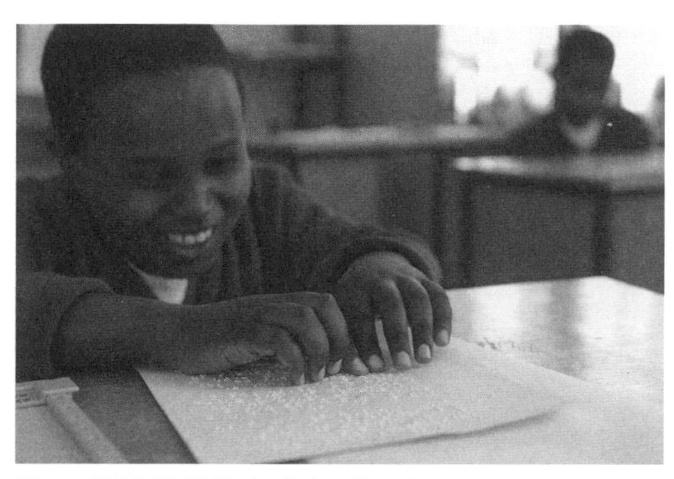

圖4　孩童閱讀點字書（圖片來源：Joerg Boethling/Alamy Stock Photo.）

一口氣理解大量文字，這就是認知跨距。點字書閱讀者以非常類似的方式使用手指「閱讀」（見圖4）。

語言學家和文學學者並非唯一致力於研究閱讀這一課題的專家，心理學家和神經科學家也有耐人尋味的發現。針對閱讀的教學和實踐，心理學家進行過廣泛的研究，如果能夠完整分析我們閱讀時的行為，無疑會是一個心理學家的成就縮影，這代表理解了大腦最複雜的運作，揭開文明史上最了不起的行為的複雜故事。

當我們閱讀複雜語言時，神經系

統究竟發生了什麼？神經學家認為這個問題他們仍然處於非常起步的研究階段，但有些初步的研究非常有趣。科學家已知大腦中有「古典」語言區，如布洛卡區（Broca's area）和韋尼克區（Wernicke's area），當大腦解釋新詞時，這些區會受到刺激。但我們現在也確認故事同樣能活化大腦的其他區域，像「薰衣草」、「肉桂」和「肥皂」這樣的詞，既能活化大腦的語言處理區域，也能活化對氣味有所反應的區域。比方說，大腦對隱喻的反應方面已有大量的研究，受測對象閱讀熟悉或老套的隱喻——好比「屋漏偏逢連夜雨」，這類隱喻只會刺激大腦對語言敏感的部分。反過來，「猶如巧克力融化般的聲音」這個比喻，則刺激大腦中與語言及味覺有關的區域，「皮革似的臉」刺激到感覺皮層。閱讀小說中刺激生動的動作情節，則會刺激大腦中協調運動的部分。閱讀動人的語言，會以類似於現實生活的方式刺激著我們。

但是，儘管已有這麼多領域的各種研究，閱讀在許多方面仍然蒙著神祕的面紗，原因在於結果通常難以歸納，無法將個人的閱讀經驗轉移到一個偏於理論的一般模式。印刷術的發明是否改變了讀者的思想世界？這個問題不是三言兩語就能回答。我們所閱讀的內容也有有形存在，我們閱讀的實體有著多重的角色，書之所以重要，是因為裡面能讀到的東西，但它們也有宣誓、作為禮物和獎品的功用。在不同的社會，精神財富的傳承非常普遍，但可能在非常不同的方面具有重要意義。書籍在民間傳說中的作用，以及——反過來，民間傳說典故在書面文本中的重要，顯示了口述和書面或印刷資料之間的雙向關係。

正是這些蛻變和變遷，讓我們所讀到的內容「屬於」世界文學、後殖民或任何寫作「類別」的想法，變得毫無意義。作家對他們的讀者的問題或多或少有些敏感，奈及利亞作家奇瑪曼達．恩格茲．阿迪契（Chimamanda Ngozi Adichie）的作品在英國由 Fourth Estate 出版，在美國由 Alfred A. Knopf 發行，在奈及利亞，則是交給了 Muhtar Bakare Kachifo，該出版社的使命是「講我們自己的故事」（Farafina）；他們的出版品涵括許多學門，包山包海，令人肅然起敬。出版社經營自己的網路書店，也頒發獎項，甚至發行《*Farafina*》創意寫作雜誌。

阿迪契意識到，她需要接觸多個出版商和經銷商，才能接觸到不同的讀者。

文字完全不認識物理空間，也不會遵守語言或國家的邊界，它們的作者可能屬於、也可能不屬於一個國際文學共和國，而提供機會讓許多人寫作的人可能理解、也可能不理解文本所使用的語言。書商常常巡迴四地——現在可能是線上巡迴——超越國家和語言的邊界。僅以「雅士」和「俗人」的角度來思考閱讀已經不夠了，文化變遷的模式不是線性，沒有「涓滴效應」的特點；文化變遷的模式必須留下水流逆轉和水體混濁的緩衝空間。書籍和閱讀的歷史學家已經證明，巨人（Gargantua）、灰姑娘或布斯貢（Buscon）等角色，在口述傳統、故事小書（chapbook，包含故事、民謠或短文的廉價小冊子，由小販沿街叫賣販售）和「品味高雅」的文學之間來回移動，改了國籍，也換了體裁（巨人首次出現在十六世紀的法國作品中；灰姑娘原型可能出自史特拉波（Strabo，c.7 BCE）所記載的一則故事，故事中，一個名叫洛多庇斯的奴隸少女嫁給了法老；布斯貢最早出現在十七世紀西班牙的流浪漢故事中）。民族文學評論家之中，作家薩爾曼．

魯西迪（Salman Rushdie）的口才數一數二，在〈寫作與國家箚記〉（Notes on Writing and the Nation）一文中，他寫道：

> 民族主義也腐蝕了作家……在一個民族主義定義越來越狹隘的時代，在一個封閉部落主義的時代，你會發現作家發出他們部落的作戰喊殺聲……民族主義是「對歷史的反抗」，試圖……在不該有國界的地方築起圍牆。好的寫作會假定一個無疆界的國家。服務邊疆的作家已變成邊境守衛。

最早的讀者

尼安德塔人和早期智人都讀得懂骨頭上的記號，只是這些記號的涵義仍然是一個懸而未決的謎題——記錄日子和月亮週期？遊戲的計分？伊尚戈骨

（Ishango bone）是一根略微彎曲的狒狒腓骨，約長十公分，深褐色，一端嵌著石英。骨頭以發現的地方——伊尚戈（位於今日的剛果民主共和國）——命名，其歷史可以追溯到兩萬兩千年前。上頭的刻痕顯然是人為的，這一點考古學家沒有爭議。那麼問題來了，早期人類如何「解讀」這些刻痕？如果它們是「符號」——與所代表之物毫無相似之處——它們代表著什麼呢？關於最早的「閱讀」，這塊古老的狒狒骨頭能告訴我們什麼呢？後人提出了各種有趣的推測，不過是小小一塊有幾個記號的古老動物骨頭，居然能引起如此激烈的猜測和爭論，這說明了人性一些奇妙的地方，也顯示了我們對於閱讀的迷戀。

在最令人信服的臆測中，有一種是破解刻痕的數學涵義。有個學派認為，三列不對稱分組的刻痕，代表這個骨器被用來構建一個數字系統，得當成一個數字計算機來解讀。也有人認為，這塊骨頭可以解讀成記錄陰曆的天文資料，而顯微圖像顯示這些刻痕可以對應上六個月的陰曆。其他解釋包括，刻痕標記著女性月經週期的各個階段。

迄今發現的最古老鑿刻（非雕刻）文物，是在埃及發現的烏魯克小骨片（Uruk），稱為「U-j骨」。骨片上並沒有刻著完整的文字，換言之，這些記號不代表西元前四千年的蘇美語或埃及語的發音，比方說，代表穀物和鳥類的數字和象形圖可以用任何語言來「讀」。轉變性的突破來自於畫謎（rebus）。rebus一字源自拉丁語，意思是「透過事物」、「透過事物的方式」。畫謎讓任何口頭語言的要素都可以透過符號表達，也多虧了畫謎，口語聲音能夠有組織地表示出來。到了數位時代，由於簡訊，畫謎原理可說是再次崛起。此外，謎語和謎語愛好者也延續了畫謎的生命，兒童讀物《愛麗絲夢遊仙境》（*Alice's Adventures in Wonderland*）和《愛麗絲鏡中奇緣》（*Alice Through the Looking Glass*）的作者路易斯．卡羅（Lewis Carroll）就是一個謎語愛好者，習慣用畫謎給他的年輕朋友寫信，畫一隻抽象的小鹿（dear）代表「親愛的」（Dear）；are以同音字母r來表示，以此類推。而最古老的畫謎之中，蘇美人的記帳板可以追溯到西元前三千年左右。

這套新溝通系統向西傳至尼羅河，向東傳到伊朗高原，甚至流傳到了印度河。蘇美人生活在今日的伊拉克，在西元前三千年，和阿卡德人發展出一種非常親密的文化共生關係，包括流行使用雙語。在西元前兩千年左右，阿卡德語逐漸取代了蘇美語。那麼，在我們人類歷史最悠久的書面語言中能讀到什麼呢？哇，數量可是多得驚人：讚美詩、哀歌、祈禱（向各種神靈）、咒語（抵抗各種邪惡源頭）、浪漫文學、智慧文學（諺語、寓言、謎語）、長篇史詩和神話；共有五千五百篇「文本」保存至今。

其中有一則十分著名的神話，描述女神伊娜娜和她的冥界之旅，相仿的故事內容在許多其他傳統中也能找到。不過許多被記錄下來的其實是歷史，也就是烏魯克國王們的生活及事蹟，包括了恩梅卡爾、盧加爾班達和最出名的吉爾伽美什。《吉爾伽美什史詩》（*Epic of Gilgamesh*）有很多版本傳世，但基本上都是一個愛情故事，此外這部史詩也探索了我們共同人性的各個方面：自我主義的傾向，面對野心的誘惑。另一方面，史詩讚頌愛情和友誼，承認我們對失去的恐懼以及對自己死亡的認識。吉爾伽美什是一個複合生命體——一半是人，一半是神，每個版本的故事情節大致雷同：吉爾伽美什必須離開烏魯克，完成一項困難重重的探險任務，然後返回家園，這是相當典型的情節。其他記錄下來的口述體裁包括了法律、醫藥、烹飪和天文著述。

類似的文學文本在埃及中王國時期開始出現。這種早期埃及寫作有一個顯著的特點，那就是形式整齊的詩歌特徵。他們採用一種特殊的格律，每一組有兩到三個重音，這是音韻分析非常早期的例子，這種安排文字的方式會鼓勵讀者以非常特別的方式來閱讀。教化故事〈一個人與他的靈魂的對話〉（A Dialogue of a Man with his Soul，c.1937–1759 BCE）是一個非常知名的例子，又名〈一個厭倦了生命的人與他的靈魂之間的辯論〉（A Debate Between a Man tired of Life and his Soul），或者〈關於自殺的爭論〉（A Dispute over Suicide）。

線形文字A（Linear A）是一種克里特文字，發現於西元前一七五〇年左右的米諾斯石板上，是最早的歐洲文字，至今仍未能破解。墨西哥灣維拉克魯斯區的奧爾梅克文（Olmec）則是南美地區發現最古老的文字，它是否為成熟的書寫系統，這一點至今仍有所爭議。它可以追溯到大約西元前九百年，比馬雅文字起碼早一千年。馬雅文字是前哥倫布時期中美洲文字中最容易理解的，有的例子刻在陵墓等歷史遺跡上，也有刻在木頭、玉石、彩陶和壁畫的碎片上。馬雅文明發展鼎盛，考古發現也非常豐富，因此很可能有大量樹皮和獸皮製成的手抄本（不是做成卷軸，而是做成可以翻頁的書）已經丟失，而這些手抄本極可能包含了與古歐洲文明中心相同的體裁。

儘管創新的成熟書寫系統發明了，大多數閱讀仍然是一種簡單活動，因為文字記錄的只是非常基本的訊息——名字、數字和物件。有趣的是，蘇美語中的「閱讀」（šita），也有「計數、計算、記憶、背誦、朗讀」的意思。學會閱讀的人非常稀少，閱讀幾乎完全是一項與工作相關的技能。不過有些書信顯示作家和讀者都喜歡詩意的措辭，大約西元四千年前，一名埃及官員在寫給兒子的家書中建議：「把你的心思放在寫作上，因為我看過人們因他們的用心闡述而得救。

看，沒有比寫作更偉大的了，它們如同水上的船……讓我為你引見它們的美……世上沒有什麼能與它們相提並論。」言外之意是，閱讀就如同理解被放在乾船塢裡的文字。

在希臘，從口述到讀寫的這個改變，有時被描述為一場危機。這無疑是一個革命性的時刻，希臘文字是拼音文字，沒有標準規範，而且是連寫字（scriptio continua），也就是單詞和句子之間沒有空格，因此希臘文字不易閱讀，但如果正確朗讀，就會變得很容易理解。閱讀主要被認為是一種口頭表演，從某種意義上說，作家的任務只有在他的文字被表達清楚之後才算完成。也有人說，希臘人有時把作家和讀者當成一對同性戀伴侶，讀者是作家的同謀，乖乖聽從作家的指令。書寫文字非常像編寫音樂：兩者都是表演藝術的行為。

到了西元前三世紀，在希臘人主導的亞歷山卓社會中，閱讀和寫作成了商業、政治和社會生活的重要組成部分，因而史上第一座偉大的圖書館——亞歷山卓圖書館——在此地建立也就不足為奇。興建圖書館的是亞歷山大大帝的繼任者托勒密一世（Ptolemy I Soter），馬其頓希臘人，於西元前三二三至前二八五年執政。這座圖書館的理念是希臘和埃及理想交融的成果：藏書將囊括人類全部的學識。世上最早的藏書家之一的藏書——亞里斯多德（Aristotle）的私人藏書——最後也進入了亞歷山卓圖書館，也是在這裡，第一套繁複的藏書索引系統發明了，這套書目約有一百二十個卷軸，列出圖書館逾五十萬卷的藏書內容。

要了解當時的學術思想，除了藏書內容以外，研究書目的分類編排也同樣很重要。藏書分成八大類：戲劇、演講、抒情詩、法律、醫學、歷史、哲學和「雜類」。最明顯的是少了「神學」，而這個分類幾乎代表著西方重要中世紀圖書館的全部藏書——這是兩種截然不同的閱讀文化的證據。圖書館還設有博物館、花園、公共餐廳、閱覽室、演講廳和會議室，這個雛型成了西歐日後重要修道院機構、學院和大學的藍圖。

在十八世紀以前，西方閱讀在閱讀史上只是微不足道的一個篇章，大多數閱讀發生在中國、韓國、日本、美洲和印度。殷商是中國首度出現文字的文明社會，當時的文字，也就是我們所知的「甲骨文」，與現代中文字相仿，很容易辨識。甲骨文出土於華北安陽，契刻的年代約是西元前一千兩百年。而更早的仰韶文化的遺址中所發現的陶符（刻在陶片上的符號），可能是一種更古老形式的中國字。雖然西元前一千四百年左右，書寫和閱讀就出現在中國華中華北地區，直到西元前五世紀，書寫和閱讀才開始有了比「記錄」更重要的意義，讓我們得以洞悉中國文士的思想。中國人用毛筆，在樹皮、竹片和木簡等各種載體上，寫下了長篇的歷史和哲學文章。

不久，中國「文學」——現在可稱為文學了——就出現了重要典籍，也就是《五經》，分別是《易》、《書》（殷商和早周（1122–256 BCE）的文獻，大多是典謨訓誥）、《詩》（詩歌和民謠）、《禮》（討論儀禮的文集）和《春秋》（史書）。到了漢朝（西元前兩世紀），宮中藏書閣收藏無數寫在竹簡、木簡和後來的紙卷上的文籍。印刷術的基本技術經由雕版發展起來，雕版印刷為中國、韓國和日本的讀者——當時世界最大的讀者群——提供無數的閱讀素材。

中國閱讀史的下一個重大革命發生在西元一〇五年：紙發明了。紙的問世促使整個東亞閱讀量以驚人的幅度增長，可供閱讀的書冊浩如煙雲，而且種類繁多，許多文學性較高的作品所關注的是正確的行為舉止和社會關係，而非一些純粹的想像或逃避現實的東西。同樣值得注意的是，人們意識到識字有利於公共利益，他們認為社會底層的教育是統治階級的支柱，不是威脅。但真正的印刷革命發生在十六世紀，到了十七世紀，中國印刷的書籍可能比世界上所有其他語言加起來還多。世上另一個有著非凡古老閱讀傳統的地方，是前哥倫布時期的中美洲，那裡可能有十五種不同的書寫傳統，其中有幾種只留存在一個保留至今的銘文中。

學習閱讀

就像說話一樣，閱讀是人類特有的活動，但閱讀並不是花時間讀讀文字就能激發的先天能力。閱讀有一個非常顯著的特點——必須接受正規的教導。嬰兒透過模仿來學習說話，不用任何結構化的學習，就能吸收語法、句法和詞彙；閱讀則不一樣，不管涉及的是什麼語言。以字符為基礎的語言（如中文）、阿拉伯文字、西里爾字母（Cyrillic）和以拉丁字母為基礎的語言，教學方式各不相同，少了教學方法，孩子和成人仍然是文盲。世界上大約有七億七千四百萬人是文盲，約占全球成年人口的百分之二十。無法從一個書寫系統的語言符號中汲取意義就是文盲。讀寫障礙（dyslexia）也可能導致文盲，這種認知困難通常被理解為一種神經性的學習障礙，損害了一個人的閱讀能力。一般認為至少有兩種形式的讀寫障礙：一種是發展性讀寫障礙，這是一種學習障礙；另一種是失讀症（alexia）或後天閱讀障礙，指的是大腦損傷、中風或罹患漸進性疾病後出現的讀寫障礙。

過去我們認為讀寫能力是指閱讀及寫作的能力，但最近讀寫能力已經擴展到運用語言、數字和圖像的能力。讀寫能力讓人能吸收有用的知識，進行交流，根據經濟合作暨發展組織（OECD），讀寫能力包括經由新技術獲取知識的技能，也包括評估可以交流知識的複雜環境的能力。讀寫能力亦有高低之分，在各行各業中，快速閱讀和高度理解能力仍是一項關鍵技能。

閱讀是一項非常複雜的活動，需要理解各種不同的語言資料，包括語音、拼寫和語法。有人認為，閱讀不是一個統一的過程（單一且簡單），而是一個創造性的過程，反映出讀者在語言的限制中企圖找出一個或多個特定的意義。

閱讀是在教師耐心指導下緩慢吸收技能的結果（見圖5），一開始學習發音和單字意思，然後是句子，最後是我們可以稱之為文章的「整體意義」。不學發音法，直接學習認字，也可以是一種快速的閱讀方式。在學習階段的讀者還

圖 5　西元前一世紀的壁畫，描繪孩子接受閱讀教育的情景。（圖片來源：MATTES Ren/hemis fr/age fotostock.）

要明白一件事，一個故事不單純只是句子排列，而是有「前」有「後」，事件之間存在著因果關係。學習閱讀小說未必要學會正式的語法，但必須明白第一次以「凱瑟琳」之名出現的人物，就是後來以代名詞「她」提到的那個角色，或者以「定冠詞＋形容詞＋名詞」（那個慧黠的小姑娘）再次出現的人物。「凱瑟琳」、「她」和「那個慧黠的小姑娘」，都是同一個「角色」。在我們發展成為讀者的過程中，我們需要學會分辨諷刺、戲謔、我們正在閱讀的東西和其他閱讀材料之間的關係。我們必須將艾梅・

沙塞爾（Aimé Césaire）所改編的莎士比亞的《暴風雨》（*Tempest*），視為莎士比亞戲劇的一個版本來閱讀，身為西印度作家，沙塞爾對莎士比亞的解讀非常獨特，而我們對沙塞爾的解讀，也會因我們是否了解沙塞爾以文字所反對的文本而有所不同。我們所讀的大部分東西，都屬於一個特定的脈絡背景，這——或多或少——制約了我們的閱讀。

在英國人學習閱讀的歷史中，我們有一些有趣的發現。比方說，在傑弗里·喬叟（Geoffrey Chaucer）十四世紀的《修道院院長的故事》（*Prioress's Tale*）中，首次提到了「識字祈禱書」（primer），故事中有一個七歲男童在教室學習閱讀。這些保存不易的啟蒙讀物罕有存世，但還是有一些。

它們通常由八個小對開本做成，沒有裝訂，大小不過一個煙盒，只是薄得許多。讀本一開頭是字母表，接著是主禱文和聖母經，最後是使徒信條，這些是中世紀英國基督教的三個基本課本內容。識字祈禱書可能包括一些也需要背誦的內容，如七宗罪和基本美德。多虧了識字祈禱書，書本知識從修道院傳播到平民老百姓的家中，讓人人獲得一定程度的讀寫能力。到了一五〇〇年，中世紀的所有人口都熟悉書寫和閱讀，沒有人不認識有閱讀能力的人。

如何教導閱讀？教學爭議往往變得高度緊張和政治化。冷戰期間，美國出版一本名為《伊凡知道而強尼所不知道的事》（*What Ivan Knows That Johnny Doesn't*）的書，證明了對閱讀方法的擔憂與當時對蘇聯統治的恐懼之間的關係。作者亞瑟・特雷斯（Arther Thrace）比較蘇聯和美國兩地的同齡學童，蘇聯學童閱讀能力強，美國兒童則只學到相當基本的閱讀技能。

在二十世紀六〇年代的美國，拼讀教學（「讀出」語言中的聲音單位）和看說教學（「認字」）兩種閱讀方法之間的爭論同樣被政治化了。「看說」很快被認為是「進步的」，拼讀則與受過大學教育的中上層階級「精英」聯繫在一起。另一方面，倡導拼讀的人聲稱，這是一個普遍包容的問題，甚至是一個民主的問題。在二十世紀六〇年代的動盪中，強調方法和紀律的自然拼讀法逐漸成為回歸法律和秩序的象徵。

讀，還是不讀

大多數時候，大多數人認為閱讀等同於成為一個受過教育的有用公民，而閱讀對於人類心靈的好處，也有無數的見解，尤其是人類學家，他們認為寫作給予人類思考過程加諸一種特殊的「邏輯」，鼓勵某種線性思考和推理的方式。一般普遍認為閱讀的到來讓社會和政治結構變得複雜，在行政管理上，可以保存完整詳盡的紀錄，進行複雜的溝通，建立有系統的稅收制度、產權和其他繁複法規。如果沒有書面紀錄以及較為普及的閱讀能力，很難想像「國家是一個人類集體」的概念。二十世紀革命國家，包括列寧和史達林領導的蘇聯、毛澤東領導的中國，雖然企圖控制閱讀內容，但也都推動過識字運動。列寧曾說：「對不識字的人來說，政治並不存在。」

有的人類學家想再進一步論證，聲稱識字和不識字的人有不同的思考方式，閱讀讓人得以超越自我，在時空中有新的歸屬感。最具爭議的說法是，閱讀讓人對個人所屬的社會有了批判視角。閱讀和寫作讓科學取代神話成為知識，同樣，合理的做事方式也取代了約定俗成。

但這些假設有道理嗎？它們是否只是建立在西方對文盲社會的偏見之上？讀寫本身的歷史有多長，對於閱讀的意見的歷史就有多長。在古代世界，蘇格拉底（Socrates，c.470–399 BCE）和柏拉圖（Plato，c.427–347 BCE）都非常懷疑書面文字，相信口述傳統——出於受過訓練的知識分子之口——才能保持「正確」的解釋。在西元五世紀的雅典，書籍寥寥可數，但才過了一個世代，就起了巨大的變化。亞里斯多德私人藏書豐富，而且非常熱中於閱讀。

在殖民和後殖民世界，識字好處的初步認定理由再次受到質疑，有些論點與蘇格拉底及柏拉圖的論點相呼應。印度作家阿南達．庫馬拉斯瓦米（Ananda Coomaraswamy）在論文《識字的麻煩》（*The Bugbear of Literacy*，1947）最早提出此類觀點，推論道：「我們對讀寫能力的盲目信仰掩蓋……其他技能的重要性，因此我們不在乎一個人是否在不適合人類的條件下謀生，只要他能在閒暇時閱讀就好；這也是種族間偏見的根本原因之一，以及我們提倡『開化』的所有『落後』人民之所以精神貧瘠的主因。」培養讀寫能力等同於「文明」的降臨——此一觀點在歐洲帝國非常盛行。一八五六年，墨爾本公共圖書館對公眾開放，代表印刷文明降臨英屬澳大利亞殖民地，當地報紙《時代報》（*The Age*）宣布，從此開啟了「我們進步的新紀元」，「文明又邁前了一大步。」

對於十八世紀歐洲啟蒙運動的哲學家來說，閱讀是教育我們走出愚昧、迷信和野蠻的活動，也是現代民主制度的先決條件。為了教育、學習和科學的利益，法國哲學家要把所有人類知識囊括在一部巨大的百科全書中，但這個計畫不僅是總和知識各個部分，重點是完全按照理性重新配置人與自然界的關係。

一七六五年，筆名伏爾泰（Voltaire）的啟蒙運動哲學家弗朗索瓦—馬里・阿魯埃（François-Marie Arouet）發表《論閱讀的可怕危險》（*On the Terrible Danger of Reading*），這篇打油詩風格的文章，描述一個閱讀屬於非法行為的極權主義社會：「為了教化信徒，為了他們心靈福祉，我們禁止他們閱讀任何書籍，違者處以永恆的詛咒。」讀到最後我們會發現，原來伏爾泰文中的那些法令是一一四三年在「愚蠢宮」發布的。由於他煽動性的政治和宗教觀點，伏爾泰一生大部分時間都在流放（或入監服刑），他的著作定期被禁與被焚燒，因為據說閱讀這些書會破壞法國社會。一個巴黎出版商甚至出版「防火版」伏爾泰，上面裝飾著一隻即將從自己的灰燼中重生的鳳凰，十分具有創意。

一七八九年，法國國民議會發布《人權宣言》，其中包括任何公民皆享有「言論、寫作、印刷自由」的權利。這個宣言又影響了聯合國在一九四八年通過的《世界人權宣言》。有趣的是，《世界人權宣言》在第二十六條中宣稱人人有受教的權利，卻沒有提及閱讀或識字。然而，在美國，憑藉閱讀獲取資訊、自我提升和提高公民素質，在十九世紀已經是根深蒂固的做法，隨著新教福音傳教士失去勢力，為娛樂和審美樂趣而閱讀也變得可以接受。

我們通常說西方控制非西方地區，主要是憑藉言語，而非仰仗武力。許多人認為，古典西方知識得以保存，多虧了拜占庭圖書館、愛爾蘭僧侶、羅馬天主教會神職人員和穆斯林阿拔斯帝國（566–653 CE），在他們的管理下，西方文明才得以在義大利文藝復興時期再現。

從勒內・笛卡兒（René Descartes）到約翰・羅斯金（John Ruskin）的思想家，都將閱讀視為通往知識的基本途徑。笛卡兒說過：「閱讀所有鉅著，就彷彿和作者對話，他們是早期幾個世紀最值得尊敬的人。」羅斯金同樣也認為：「閱讀正是與那些我們可能有機會親自遇見到的更聰明、更有趣的人對話。」馬塞爾・普魯斯特（Marcel Proust）在《論閱讀》（*On Reading*，1905）中引用這兩段話，但他反駁了閱讀是與智者對話的觀點。普魯斯特認為，閱讀和對話的根本區別在於，閱讀是獨自完成的活動，讀者能夠對正在閱讀的內容維持不間斷的思想控制。普魯斯特對閱讀的詮釋很感興趣，這一點正是閱讀何以始終是——而且仍然是——一種潛在的顛覆活動的原因。

第二章

遠古世界

古希臘和古羅馬

荷馬（Homer）的《伊里亞德》（*Iliad*）和《奧德賽》（*Odyssey*）起初靠著口述傳統代代相傳，直到西元前八世紀，才在羊皮紙或莎草紙上抄寫成文。古騰堡（Gutenberg）發明了印刷術後，手工複製了數百年的文稿才終於得以印刷，不再有失傳風險。在古代世界，以及其後的幾百年，對絕大多數人來說，荷馬史詩是聽來的。我們對古希臘和古羅馬世界的閱讀了解很多，但要切記一點：我們所說的希臘羅馬文學，許多是只聽不讀的。希臘和羅馬帝國都有讀者，但口述——以及口才——仍然是知識分子的寶貴財富。事實上，寫作和閱讀常常被認為是對社會和政治的破壞，也是智力欺騙。

例如，柏拉圖在《費德魯斯篇》（*Phaedrus*）中表達了保留意見。這部作品記述蘇格拉底和費德魯斯之間的對話，柏拉圖藉費德魯斯之口說：「每一個字，一旦寫下來，就會在理解它的人和對它不感興趣的人中間隨意傳播開來，它不知道該對誰說，也不知道該不該說……當它受到虐待或濫用時，總是需要它的父親來幫助它；因為它沒有能力保護或幫助自己。」像許多古人一樣，柏拉圖認為「口頭對話」是真理的語言，書面論述總是容易遭到「誤讀」或「誤解」。朗讀則是另一回事，因為可以就文字的含意進行討論和辯論。在柏拉圖的有生之年，語言和語言實踐已經發展到可以廣泛研究抽象概念的地步，「文本成為讀者的一部分」的觀點受到若干質疑，柏拉圖將閱讀實踐的巨大變化寫進了他的著名對話，即《費德魯斯篇》。蘇格拉底和費德魯斯的對話主要討論的是愛的本質，但也探討了寫作和閱讀。蘇格拉底告訴費德魯斯，很久以前，托特神（Troth）來到埃及國王面前，提供了一些他發明的專業，寫作是其中一項。托特說：「有一門學問可以提高他們（國王的臣民）的記憶力，我發現了增加記憶和智慧的祕方。」國王很懷疑，告訴托特：

如果人學會了這個，他們的靈魂將被植入遺忘；他們將不再行使記憶，因為他們依賴寫下的東西，不再從自己的內心，而是通過外在的記號來喚起對事物的記憶。你所發現的，不是記憶的祕方，而是提醒。你提供你門徒的，不是真正的智慧，只是智慧的假象，因為告訴他們許多事情，卻不教他們任何東西，你使他們貌似博學多聞，而實際上一無所知。如同缺乏智慧卻自以為是的人，他們會成為同伴的累贅。

蘇格拉底繼續說：

知道嗎，費德魯斯，這就是寫作奇怪之處，讓寫作與繪畫非常相似。畫家的作品立在我們面前，彷彿有著生命；但如果你質疑它們，它們會保持一種十分莊嚴的沉默。書面文字亦是如此：它們似乎像聰明人一樣在和你說話，但如果你出於希望受教的心願問它們說了什麼，它們只會持續不停地告訴你同樣的事情。

這是一場關於寫作和閱讀的關鍵辯論。在口述社會，當意義多多少少能夠立刻被理解時，讀者的創造性角色幾乎不存在。柏拉圖是蘇格拉底的學生，也是蘇格拉底的傳記作者，乍看之下，他似乎想要維護老師的地位。然而，他又是以書寫來做這件事，這或許是在暗示，他提倡「適當」地使用寫作，或只讓特定群體使用寫作。不過柏拉圖將詩人從他的理想社會驅逐出去，這在他的《理想國》（*Republic*）中有所描述。知識，在正確的人的口中和手中，可以成為促進公眾利益的手段，從另一個角度來看，詩歌和小說則顯然值得畏懼。

然而，在眾人中朗讀毫無疑問逐漸被獨自默讀所取代，現在想到閱讀時，我們主要想到的是這種獨自進行的無聲行為。到了西元前五世紀，閱讀已經成為一種獲取資訊的技能。修昔底德（Thucydides，c.460–395 BCE）是一位歷史學家和政治家，他在記錄歷史時，仰賴文字多於仰賴口述，這證明人理解文字的方式有了顯著的轉變。文字不再是口頭表演的腳本，而是被視為知識的寶庫，內容超越了時間限制。

希波克拉底（Hippocrates，c.460–377 BCE）和蓋倫（Galen，c. AD 130–

200）等醫師，在完全口述社會中，必須以極其艱難的方法擴充、傳播知識。蓋倫描述希波克拉底時寫道：「我會解釋（希波克拉底）那些過於晦澀的觀察結果，並補充我個人從他所記下的方法中得到的觀察。」閱讀讓這位作者能夠更小心謹慎吸收他人的思想，在此基礎上建立擴展自己的想法、理論和論證。

閱讀的用途變得更廣泛後，也促進了其他類型的寫作，尤其是古代小說，這種新的文學體裁逐漸成了主導世界的文學體裁，描述愛情、失去和重聚的故事，男女主角通常出身高貴。除此之外，也有一些刻劃勇氣與義無反顧的英雄故事。這些故事有許多讀者，但到了大約六世紀，似乎失去了人氣，到了十一世紀，又重新建立起吸引力，影響了阿拉伯、西班牙，然後是全歐洲的小說閱讀和寫作的活動。

默讀

默讀這個主題有許多爭論。聖奧古斯丁（St Augustine）的《懺悔錄》（*Confessions*，西元四世紀）中有一段著名的話，解釋了許多的誤解。聖奧古斯丁如此描述他的老師米蘭主教聖安布羅斯（St Ambrose）的默讀方法：

> 閱讀時，他的目光掃視一頁一頁的書，他的心尋找它的意義，他的嗓音和舌頭則沉默不語。很多時候，當我們在場時……我們仍然看到他靜靜讀書，絕對不會朗讀出聲……但不管他出於什麼意圖，他的本意絕對是好的。

奧古斯丁對安布羅斯的閱讀方法感到詫異，這是默讀在當時是非常罕見的證據，普遍做法一定是朗讀出聲。這個推測得到廣泛的認同，譬如尼采曾經寫道：「德國人不朗讀，不為耳朵而讀，只用眼睛讀：他把耳朵收到抽屜。古代人讀書時——當時人很少讀書——他會大聲……朗讀給自己聽；如果有人不出聲讀書，那會是一件令人驚訝的事，別人會偷偷地問自己，他為什麼要這樣做。大聲朗讀要用上古代公共世界所喜愛的各種漸強變調、抑揚頓挫和變化節奏。」尼采還說，最偉大的德國散文是為布道而寫，主張路德為了在教堂裡宣讀的聖經翻譯是最偉大的作品。

但有證據顯示，古典時期也有人在私底下無聲閱讀。例如，在尤里比底斯（Euripides，c.480–406 BCE）的悲劇《希波呂托斯》（*Hippolytus*）中，國王忒修斯見到妻子菲德拉的屍體時，發覺她手上有一封信。當歌隊唱出他們不祥的預感時，忒修斯讀了那封信——默默地讀。在信中，菲德拉誣賴希波呂托斯強姦她，忒修斯的默讀與他的情緒抗議形成了對比。他說，這封信「發出尖叫，嚎叫著令人難以忍受的恐怖……信中有一個聲音在說話……」普魯塔克（Plutarch，c.46–120 CE）在題為〈亞歷山大的命運〉（On the Fortune of Alexander）的演講中告訴我們，當亞歷山大大帝默默讀著一封來自母親的密函時，他的朋友赫菲休

「靜靜地把頭湊到亞歷山大的身邊，和他一塊讀信；亞歷山大不忍心阻止他，就摘下戒指，把戒指放在赫菲休的嘴唇上以示封口」。大概是為了強調，這個故事講了四遍。亞歷山大沒有因為朋友放肆地從身後讀信而生氣，他表現得像個哲學家，謹慎地向朋友表明，這封信屬於高度機密。

為了達到朗讀的效果，尤其在以空白分隔單字之前——在古典世界中，字是連在一塊的——必須能夠提前看清楚所要朗誦的內容，就像音樂家看譜一樣。默讀可以說是朗讀的必要輔助手段，不僅是為了音調，更重要的是為了理解。有的古典學者認為，令奧古斯丁感到震驚的，是安布羅斯居然在人群中默讀。他在訪客面前閱讀，卻不與他們分享他所讀到的，這可能有些不尋常，甚至可能被認為失禮。不過默讀研究領域的權威加夫里洛（Gavrilov）推斷，閱讀現象在現代文化與古代世界基本上是相同的，文化多樣性不代表不能有一個潛在的統一性。

莎芙

在不同時期，閱讀的慣例可能變化不大，但對閱讀的理解絕對不同。就拿莎芙（Sappho，c.630–c.570 BCE）來舉例說明吧。

莎芙無疑是古希臘最著名也最神祕的女性讀者，與她同時代的人以誇張的方式讚揚她，有人甚至封她為第十位繆斯女神，而到了中世紀，仍有許多人閱讀她的作品。希臘斯多噶學者史特拉波（Strabo，c.63/4 BCE–c.24 CE）在她死後幾百年寫道：「在整個有紀錄的歷史歲月中，我們知道沒有一個女性能夠絲毫挑戰她的詩人地位。」在《仕女之城》（*Le Livre de la cité des dames*，1405），克莉絲汀．德．皮桑（Christine de Pizan）提出十八個證據，證明女人同男人一樣聰明，莎芙是其中一個證明。在文藝復興早期，拉斐爾（Raphael）描繪帕那蘇斯山智者，也將莎芙畫了進去，她是畫中唯一的凡人。將歷史快轉到維多利亞時代，《蓓爾美爾公報》（*The Pall Mall Gazette*）的民意調查要求女性列舉史上最重要的十二位女性，莎芙是最常被提到的名字。莎芙著有詩集九卷，流傳下來的只有一些令人心馳神蕩的片段、古代作家的引用，或者古代莎草紙和羊皮紙抄本中的斷簡殘篇，大多來自羅馬時期。在現代版本中，莎芙的文字編號可多達兩百六十四則，但只有六十三則包含完整的詩行、二十則包含完整的詩節，只有四首詩完整傳世，讓我們對莎芙的詩歌結構能有一個正確的認識。

然而，我們所掌握的少量莎芙的文字，與她同時代的男性保留至今的作品，特別是赫西奧德（Hesiod）和阿爾卡埃烏斯（Alcaeu），有著驚人的不同。莎芙獨特的女性聲音迴盪在字裡行間，她情緒豐沛，個性鮮明，對戰爭和暴力抱持保留態度，對女性的刻劃也與其他當代作品截然不同。以片段十六為例：

> 有人說是一群騎兵，有人說是一支徒步的軍隊，還有人說是一行艦隊是最美麗的風景……但我會說最美麗的風景是你渴望的任何東西……

在莎芙的筆下，特洛伊的海倫渴望一個不是她丈夫的男人，她的激情比男人對艦隊的嚮往更加合理。阿爾卡埃烏斯卻直率地描述海倫：「但因為海倫，特洛伊人滅亡了／他們的城也圮毀了。」莎芙在希臘詩歌中引入新的人類情感，因此備受尊重。但她今日的形象建立在有限的殘章缺詞上，這些殘缺的詩行整理後可以放大——或者大幅淡化——她的重要。

莎芙之所以引起我們的興趣，部分原因在於她是一位非常早期的女詩人。但莎芙讓我們著迷還有別的原因：她不同於她同時代的男性，荷馬（Homer）是最明顯的例子，他的作品完整流傳至今，而莎芙則是一塊乾淨的石板，後人可以（也已經）在上頭投射無數的幻想。從奧維德到T．S．艾略特（T. S. Eliot）等詩人對於莎芙的迴響，為她創造了跨越千年、異常豐富的來生，詩人卡圖盧斯（Catullus）模仿她，這無疑是一種尊重的表現。然而，在很久以後，也出現了值得注意的貶低聲浪。亞歷山大．波普（Alexander Pope，一六八八至一七四四年）不只將他那個時期的女作家瑪麗．蒙塔古．沃特利夫人（Lady Mary Wortley

Montagu）描述為「濫交的莎芙」，還說她得了梅毒。到了十九世紀，婦女為了汲取女權主義的靈感，開始大膽地閱讀莎芙，比方說，維多利亞時代詩人克里斯蒂娜·羅塞蒂（Christina Rossetti）明確地以她為榜樣。在同一時期，男性對莎芙的解讀卻截然不同，詩人波德萊爾（Baudelaire）和斯溫伯恩（Swinburne）認為她是施虐受虐狂，是雌雄同體的妖姬。

很明顯，閱讀莎芙的重點往往是讀者在腦海中翻新她的文字。事實上，她已經徹底翻新，以至於其他讀者隨後以語言重新評論她時，她獨特的聲音幾乎沉寂了。這一點在她的視覺呈現上可能更加明顯，如同其他許多展顯才華的女性，她成了男性窺探的對象。然而，我們需要再次謹記一點，我們真正能讀到的莎芙作品非常稀少，我們也要記住，大部分的閱讀是在我們閱讀的內容基礎上創造自己的幻想。

羅馬帝國的閱讀素材

帝國的概念是社會文化普及的第一個推動力，在所有古代社會，只有羅馬社會在少數官僚和祭司精英之外推廣閱讀及寫作。羅馬帝國橫跨今日西歐大部分地區（從英國到北非，從西班牙到今天德國境內的多瑙河），要統治這麼一個龐大的帝國，需要建立在準確書面交流基礎上的複雜法律和軍事系統。

在城市公共區域，文字隨處可見——紀念碑、戶外祭壇、石棺、界標等等。在帝國鼎盛時期（約西元前一一七年），士兵和工匠起碼都具備基本的讀寫能力，比如在赫庫蘭尼姆（Herculaneum）、奧斯提亞（Ostia）和龐貝（Pompeii）等不同地點發現的塗鴉就是證據，龐貝古城的一些塗鴉可能出自娼妓之手，警告同行某些危險的嫖客。然而，儘管識字率不斷提高，民眾也認識到識字的諸多優點，口述仍然是文學文化的媒介。富人希望有人讀書給他們聽，所以雇用專人負責朗讀，豢養奴隸也正是為了這個目的。擔任羅馬行政官的小普林尼（Pliny the Younger，c. AD 62–c.113）本身就是作家，寫過大量書信，也經常記下聽人讀書時的樂趣：

> 晚餐時，如果我的妻子或幾個朋友在場，我會叫人來朗讀一本書；餐後，叫人演喜劇或彈豎琴；之後和我的親友一起散步，他們中有許多人博學多聞。整個晚上就在各種討論中度過，即使是漫長無比的一天，也很快會變得多采多姿。

奧古斯都皇帝（Emperor Augustus，63 BCE–14 CE）認為聽人朗讀可以對抗失眠。根據他的傳記作者蘇埃托尼烏斯（Suetonius，c.75–150 CE）的記載，他把講故事的人喚到床前朗讀，朗讀的內容多是卷軸古書，在西元頭幾個世紀，史詩是最流行的體裁。作家也會朗讀自己的作品，維吉爾（Virgil，70–19 BCE）以表演而聞名，他的朗誦讓文盲也能聽到他的作品。奧維德以多種體裁為廣大的讀者群寫作，《愛的藝術》（*Ars amatoria*）和《愛的解藥》（*Remedia amoris*）基本上是寫給女性讀者的心靈勵志書，提供吸引愛情的辦法，建議讀者閱讀詩歌等等文字，也給在情路坎坷的人提供慰藉。

奧維德創作的年代出現了大量新類型的流行文本，包括情色小說、簡史、烹飪書、大眾心理學書籍（譬如解夢）和冒險故事，類似於八卦專欄的內容也被寫進了當代諷刺小說；讀者嗜讀醜聞，忍不住要去挖掘被影射的對象，這都絕非數位社交媒體的結果。馬提亞爾（Martial，40–*c.*103）寫了十二冊《詼諧詩》（*Epigrams*），嘲弄他在城市往來的朋友的活動，包括婦女和同性戀者。但也有人批評教育程度較低的讀者越來越大的權利，哲學家塞內卡（Seneca，3 BCE–65 CE）就曾痛惜有人把書本當作室內裝飾品，也鄙視收藏「專為展示而設計的古軸」的人（這類古軸通常附有裝飾圓頭和彩色標簽）。

學術圖書館也是羅馬文化的一大特色，有些藏書還是戰利品。西元前二世紀，埃米利烏斯．保盧斯（Aemilius Paullus）將馬其頓國王珀爾修斯（Perseus）的藏書搬至羅馬；羅馬將軍蘇拉（Sulla）從雅典掠奪了提奧斯的阿佩利孔

（Apellicon of Teos）的藏書，其中有多部亞里斯多德的著作。也許有人會驚訝，凱撒大帝（Julius Caesar）其實並沒有在羅馬建立圖書館，第一間公共圖書館是阿西紐斯・波利奧（G. Asinius Pollio）的政績，奧古斯都又建立了兩座，分別位於帕拉蒂尼山的阿波羅神廟，以及戰神廣場的屋大維紀念門柱。公共圖書館通常與公共澡堂設於同棟建築。在鼎盛時期，羅馬有二十九間圖書館，各省也有圖書館。小普林尼出資在他的故鄉——義大利北部的科莫——興建圖書館；以弗所（今日的土耳其）和雅典也有圖書館興建，有的圖書館在某些情況下允許外借書籍。當時在帝國西部的義大利只有兩座圖書館，位於迦太基（突尼斯）和提姆加德（阿爾及利亞），原因尚未完全釐清。

第三章

閱讀手抄本，閱讀印刷品

閱讀手抄本

手抄本在羅馬帝國晚期是標準的書寫格式，在整個中世紀時期也仍舊是西歐的普通格式，這個情況直到十五世紀中葉印刷術發明才改變。有人認為，印刷術的發明幾乎完全塑造了（至少）整個西方知識分子的傳統。從西元五百年到一千五百年，大約一千年的時間，手抄本文化就是書寫閱讀的文化，媒介是羊皮紙，讀者大多是神職人員和貴族，語言是拉丁語。泥金裝飾的慣例繼續存在，書的形式——手抄本——也延續下來。

在整個中世紀的歐洲，閱讀與宗教息息相關，尤其是基督教。基督教與猶太教和伊斯蘭教一樣，本質上是一種「經典的宗教」（religion of the book），但這並不是一個全新的開始，對於希臘和羅馬的古典學問的尊重，甚至是懷念，仍然存在，有時與不斷擴張的基督教會思想和信仰發生衝突。六世紀末，教皇地位穩固，勢力強大，足以制定一種新基督教形式的羅馬帝國主義，基督教書籍於是在西歐大量傳播。例如，根據八世紀本篤會僧侶和編年史家比德（Bede）的說法，在五八七年，格里高里一世（Gregory the Great）為了讓英國人皈依基督教，送來了「所有必要的書籍」。在七世紀和八世紀，基督教的愛爾蘭分支在英國被同化，結合英國和愛爾蘭風格的書籍於焉誕生，比如可能是在坎特伯里寫成的〈維斯帕西詩篇〉（Vespasian Psalter），字母內還繪著精細的圖紋，非常符合愛爾蘭傳統。

八世紀末，查理曼大帝控制現已建立的法德兩國，從英格蘭召來阿爾坤（Alcuin，c.742–814），創建了一個規模龐大的豪華宮殿圖書館。同時，易於辨讀的圓潤字體成了手抄本的標準風格，圖書製作中心如雨後春筍在歐洲各地修道院成立，製作的手抄本有時是院內自用，有時用以出口。查理曼大帝的《通諭》（*Admonitio Generalis*，789）是一部旨在維持基督教控制的著作，著重改進的必要性，特別是提升識字率和推廣教育這兩方面，這些建議的目的是在協助神職人員鞏固法蘭克王國教會。當時，大多數神職人員都是文盲，四處漂泊，只依靠從經文老師和教會神父那裡聽來的知識。在另一方面，加洛林王朝的文士抄寫了所有現存的文學作品，亞琛圖書館一份殘存的書目就記載了大量的古典作品。查理曼大帝不只建立現代基督教會，也更廣泛保存了西方書寫文化。

雖然也有例外，但中世紀的閱讀幾乎總是集體活動，可以在不同的場所進行，諸如花園、大廳、市集、教堂和修道院。負責朗讀的不再是受雇的僕奴，而是家庭成員、朋友或同事。與古代世界一樣，閱讀大致仍然是聽讀。識字率依舊很低，可能只占總人口的百分之一。書籍所費不貲，很少有人單獨度過閒暇時光。從口述文化到讀寫文化的轉變，是一個緩慢的過程，從最有錢有勢的貴族和神職人員開始，約莫過了一千兩百年後，才慢慢影響到最窮最弱勢的老百姓。這個轉變有三個基本變化：書寫內容需要解釋，也就是一種超越口頭互動的解碼；「歷史」能以一種全新方式理解，因為文本可以組合比較；書面文本成了客體，經常被視為具有巨大的美感和價值。

隨著讀者參與到一種私下私密的活動，單獨完成的無聲閱讀越來越成為常態。讀者可以建立自己的閱讀節奏，可以回頭重讀，也可以放下書本休息思考，甚至可以寫下旁注。一個文本有不同詮釋的可能也大幅增加。默讀帶來了一種新的自我意識：身為一個有思想的個體，我們可以自由地同意或不同意所讀的內容，而且幾乎沒有審查制度或可能的懲罰。十三世紀開始，默讀在全歐洲變得普遍，也成了學者首選及擁護的閱讀方法。在十三世紀的德國西南部，有一位名叫里查爾穆（Richalm von Schöntal）的西多會修道院院長，講了一個惡魔逼迫他朗讀的故事，他說這害他失去了應有的精神洞察力和心靈寄託。和當時其他西多會修士一樣，他把心臟視為心靈的所在。

從十二世紀起，越來越多非神職人員成為圖書的主人，或委託他人製作書籍。識字情況也出現一個重大變化，那就是女性讀者人數不斷增加，她們可能擁有自己的時禱書（祈禱書的一種），既能提升自己的閱讀技能，也可以教導子女基本的讀寫能力。幾乎沒有受過古典教育的女性，對製作日常方言書籍運動也有很大的影響——尤其是法語和德語，而非拉丁語。值得一提的是，到了十四世紀，方言手抄本的製作數量已可與神職人員製作的拉丁語手抄本相媲美。這一點必須強調，因為它提醒了我們，在印刷術發明之前，閱讀的世界已經起了巨大的變化。書籍文化是印刷的先驅，而非印刷的產物。在印刷術發明以前，圖書文化的所有必要特徵就已存在：讀者有僧有俗、有男有女，不只閱讀拉丁語，閱讀各種方言的人也越來越多。

時禱書是普通人最常閱讀的書籍類型之一，裡頭包括了適用於一天不同時間和教會年曆不同節期的各種祈禱文。委託人可以按照自己祈禱習慣委託製作客製化的時禱書，有的還綴以華美豐富的泥金裝飾。從十二世紀起，時禱書多以拉丁文製作，採用哥德式字體，因此俗人讀者也能閱讀，包括受過教育的貴族女子，她們往往擁有這類精美又方便攜帶的小書。《貝里公爵的豪華時禱書》（*Les Très Riches Heures du Duc de Berry*）就是一個顯著的例子，委託人是法王查理五世的弟弟貝里公爵（Duc de Berry，1340–1416）。

貝里公爵藏書豐富，也慷慨贊助藝術家。他的時禱書製作曠日費時，公爵甚至來不及看到完成就已過世。如同許多奢華無比的時禱書，這本時禱書由一群藝術家合力完成，起頭的是法蘭德斯的林堡兄弟（Limbourg brothers），然後由法蘭德斯工匠巴泰勒米．迪克（Barthélemy d'Eyck，c.1420–post–1470）接手，最後在薩伏依公爵查爾斯（Charles，1468–90）的贊助下，於一四八五年左右完成。貝里公爵總共委託製作了十多本時禱書，當他去世時，他的書房有三百多本泥金彩飾的手抄本。

默讀興起後，教會權威之外的閱讀素材大約也在同一時間增加，大量原先僅以口述形式流傳的材料被記錄在紙上：古代神話，故事傳說，尤其是亞瑟王傳奇，都被寫成了文字。但它們仍然是可以朗讀的文稿，在法國，這些作品出自遊唱詩人之手，比如《熙德之詩》（*The Poem of the Cid*）、《羅蘭之歌》（*The Song of Roland*），還有十二世紀末克雷蒂安．德．特魯瓦（Chrétien de Troyes）的傳奇。特魯瓦極有詩意地說，希臘和羅馬的古典文學已經被取代了：「他們的一字一語已不復存；他們的熾熱餘燼已然熄滅。」在十四世紀，杜蘭提・阿利基耶里（Durante degli Alighieri），也就是眾人熟知的中世紀晚期義大利詩人但丁（Dante），在義大利捍衛的是義大利語，不是拉丁語，他宣稱以義大利語作為文學語言的時代已經來臨。

讀自己的語言

在中世紀鼎盛時期，非神職的讀者所閱讀的，不只有寫成文字的口述傳說，還有以各地方言寫出的新故事，包括古法語、中古高地德語、中古英語、古西班牙語、古挪威語等諸多語言。值得注意的是，閱讀方式也發生了基本的變化。方言書可能只是樸素的小冊子，也可能圖文並茂，泥金裝飾。卡斯提亞王國的阿方索十世（Alfonso X of Castile，1221–84）是方言作品最著名的贊助人，他興趣廣泛，委託創作了《頌歌集》（*Cantigas*），這系列讚美聖母的頌歌每一頁有六幅小畫，以泥金裝飾，插圖細膩，附有圖說。阿方索對法律也很感興趣，委託製作了一套多卷的專著《法律之書》（*Libra de las leyes*），以及一系列以卡斯提亞語言編寫的編年史，記錄下西班牙的歷史。

圖書贊助可能只是財富和權力的外在表現，但在大多數情況下，贊助人都致力於將圖書視為文化藝術品和文化力量。如果富人缺少他認為應該讓人讀到或他想讀到的東西，就會委託他人製作——或者書寫。英國偉大神祕主義者諾里奇的朱利安（Julian of Norwich）飽讀詩書，也從閱讀得到許多收穫，很可能寫下第一本由女性書寫的英語書：《神愛的十六個啟示》（*Sixteen Revelations of Divine Love*，c.1393）。

在這些圖書文化和閱讀的推動者之中，有相當多的傑出女性。克莉絲汀·德·皮桑（Christine de Pizan，c.1364–1430）出生於威尼斯，受過良好教育，年紀輕輕就走入婚姻，丈夫過世後，她為了維持家計開始從事寫作。這名女性作家特別有趣的地方在於，她的作品顯然在回應她所閱讀的書。她在馬提律（Matheolus）的《悲嘆》（*Lamenta*，1300）中讀到對女性的惡毒攻擊，便提筆撰寫《仕女之城》（*Le Livre de la cité des dames*），全書於一四〇五年完成（見圖6）。

她首先深思男人從言談中所表達出對女性的態度，寫道：

> 一個非同尋常的想法在我腦海中扎根，讓我想知道究竟為什麼有這麼多男

圖6　克莉絲汀·德·皮桑的《仕女之城》。（圖片來源：Bibliothèque nationale de France, Département des Manuscrits, Français 607.）

人……對女人和女人的行為說了一堆可怕的話，說了又說、寫了再寫。我不知道該如何解釋。這麼做的不只是少數作家……還有不勝枚舉的各種哲學家、演說家和詩人，他們似乎都異口同聲，一致認為女性的天性完全受邪惡所左右。

克莉絲汀想像出一個理想的仕女之城，這座城市之所以高雅，不是因為女性的出身，而是因為女性的閱讀能力。《仕女之城》提出女性應受教育的論點，對男人不樂見女性接受教育提出了疑問。克莉絲汀認為，女性天生就適合閱讀和學習。

印刷

十五世紀中葉以前，閱讀仍舊涉及讀者和抄寫員之間的親密接觸，所讀的是一份手工製作或手工抄寫的獨特手稿。然後，大約在一四四〇年，一位年輕的雕刻家暨寶石雕刻師冒出一個巧想：與其雕刻木塊複製插圖——當時的做法——何不雕刻字母，生產可以重複使用的「活字」呢？在幾年的時間裡，他投入大筆金錢在這項冒險的創業計畫中，改造原本用於釀酒和裝訂的機械設備。想出這個絕妙點子的工匠，自然是約翰尼斯·根斯弗萊施·拉登·古騰堡（Johannes Gensleisch zur Laden zum Gutenberg），一般稱他為約翰·古騰堡，或者古騰堡。這項發明其實不是他獨力在一四四〇年代完成的，他只是在美因茨工作的團隊中的一員。如同大多數的驚天創新，印刷書的出現被某些人認為是稍縱即逝的風潮。一四九二年，也就是印刷機發明近半個世紀後，施蓬海姆一間修道院院長約翰內斯·特里特米烏斯（Johannes Trithemius）在《文士頌》（*In Praise of Scribes*）中寫道：「在紙上印東西這件事能持續多久？……一本紙做的書，頂多保存兩百年……抄寫在羊皮紙上……可以保存一千年。」上等的羊皮紙（其實是小牛皮做成的）確實是幾個世紀來精美手抄本的上等材料。

印刷機的發明在很多方面都是革命的創新，但發明的起源和影響則多不勝數，有時相互矛盾，對於閱讀的影響更加難以評估。印刷機甚至也不盡然是全新的發明。韓國在十三世紀即開始使用金屬活字印刷，只是當時還沒有印刷機，印刷書也沒有立即變得經濟實惠。相較之下，印刷機的製造成本較低，但紙張的成本始終居高不下，在十八世紀之前，紙張成本占去了一本書總成本的一半以上，換句話說，增加印刷量不會像今天這樣能降低單本零售價格。當時造紙術仍以阿拉伯方法為基礎，也就是把歐洲各地「拾荒者」收集來的破帛廢布製成紙漿。

一四五〇年到一四五五年之間，古騰堡印刷了一本聖經——歐洲史上首部以活字印刷術印刷的書。隨後歐洲各地紛紛建造印刷機：一四六五在義大利，一四七〇年在法國，一四七二年在西班牙，一四七五年在荷蘭和英國。到了一四八〇年代，德國、義大利、荷蘭、英國和丹麥的城市中心都有了印刷機。到了十六世紀，瑞士、斯堪地那維亞和東歐也有了印刷機。西班牙和葡萄牙的傳教士將印刷術引進南美洲和日本。有趣的是，印刷機直到一五三三年才到達新大陸——墨西哥城組裝了一架印刷機。麻州的劍橋則到了一六三八年才有印刷機。

儘管歷史學家提出了有說服力的充分理由，但到了近年經濟學家仍舊無法證明印刷術——以及隨之而來的閱讀量增加——對識字率日益提高的社會生產力和經濟有任何影響，有的經濟學家甚至認為，印刷術對經濟的影響有限，因此閱讀和讀寫能力對十六世紀經濟的影響同樣微不足道。但最近一項研究調查了印刷機傳播和使用的相關城市數據，以新的角度檢視印刷技術的影響。研究發現，在採用印刷術之後，城市至少增長了二十個百分點，有的例子增長了七十八個百分點，比一五〇〇至一六〇〇年間未採用印刷術的相似城市多了許多。這些估計顯示，在一五〇〇年至一六〇〇年間，印刷術至少影響到歐洲城市成長的百分之十八，甚至高達百分之六十八，閱讀在這一時期可能是經濟增長的關鍵。

在一幅一五六八年的木刻版畫（見圖7），左邊的印刷工人正從印刷機取下剛印刷好的紙頁，右邊的印刷工人正在為下一個印版上墨。按照古老的價格表與我們所知的當時工時計算——工人一天平均辛勞工作十五個小時——在一六〇〇年左右，一架印刷機每日可以印刷三千五百回。活字印刷機顯然是現代早期資訊

圖7　木刻版畫，十六世紀的印刷術。（圖片來源：Image Asset Management/World History Archive/age fotostock.）

技術的偉大創新，但是印刷機的出現給一般人的生活帶來了什麼變化呢？這是人類史上首度可以快速且大量複製閱讀資料，印刷書當然也比手抄本便宜許多，在印刷機發明後的五十年內，圖書價格下降了大約百分之六十六，大幅改變了思想傳播的方式，加速思想傳播的過程，更拓寬了思想傳播的領域。

宗教改革和識字率的提升

古騰堡發明印刷機的同時，另一件影響深遠的事件也發生了，那就是西方基督教出現一場重大的神學分裂；古騰堡的發明自然也進一步推動了新教宗改革的發展。西元一五一九年，羅馬神學家塞爾維斯特．普列利亞斯（Sylvester Prierias）主張，聖經必須保持「神祕」，唯有透過教皇的權力和權威才能如實傳達。路德則持相反意見，認為上帝的恩典來自個人信仰，不用透過教會來當代理人。他和其他抱持類似想法的人，特別是在德國、荷蘭和瑞士，認為人人——不分男女老幼——都有閱讀的「神聖權利」。路德的立場不完全是新的，但當時的環境是新的。

印刷術的發明，加上德國皇族想擺脫羅馬的控制，兩個因素一塊保護了路德，也讓他的思想得以傳播開來，比如路德反對贖罪券，導致無數文字簡陋、成本低廉的小冊子得以在神聖羅馬帝國各地流傳。因此，這是一個非同尋常的歷史巧合時刻，印刷術推動了宗教改革，新教改革者促進了識字和閱讀，反過來又支持印刷文化的興起。聖經被譯成方言，也就是日常生活用語，代表人人都能讀聖經，無論是否受過古典教育。伊拉斯謨（Erasmus）與路德保持距離，在教會內部尋求改革，但他認同路德的信念：直接閱讀聖經有益信仰。伊拉斯謨寫道：「我希望就算是最軟弱的女人，也能閱讀福音書——閱讀聖保羅的書信，我希望這些文字被翻譯成所有的語言，讓人閱讀、理解，不只是蘇格蘭人和愛爾蘭人能懂，土耳其人和撒拉遜人也能讀。」（他指的是穆斯林）路德將聖經譯成德文時，建議他的助手：「你得問問家裡的女人，街上的孩子，市場上的老百姓，看著他們的嘴，注意他們怎麼說話，他們怎麼說，你就怎麼翻，這樣他們會明白你是在用德語跟他們說話。」

新教改革、文藝復興和十七世紀的科學革命，都離不開複雜的印刷文化網絡。印刷術不只改變我們的閱讀方式，也改變了我們的思考方式。但是，令人驚訝的是，印刷術出現後，手抄本文化繼續存在了一段時間，尤其在英格蘭和西班牙，手抄本的流通有增無減，特別是詩歌和傳奇。作家繼續專為手抄本的流通而寫作。

最早的印刷業者為特定群體服務：富人、教會人士、律師和學者。但業者也很快發現了新類型文字產品的市場，像是往往大量生產賣給普羅大眾的曆書。不過這類書的印刷量相對較少，只有曆書和祈禱書例外，它們的印量以萬為單位，由流動小販在城市和農村地區銷售。直到十九世紀，大多數印刷品的印量才超過一千冊，偶爾也會超過一千五百冊。閱讀祈禱文不只為了滋養內在精神，舉個例子，在十六世紀初，以「上帝憐憫我」（Deus propicius esto michi）開頭的祈禱詞，被認為能帶來各種效果，諸如平息海上風暴、保護戰場上的士兵、順產等等。在十六世紀英格蘭愛德華六世的宮廷中，仕女經常將裝飾華美的書冊繫於腰間，這可能是出於相信書具有保護力量的迷信。

閱讀如何隨著印刷術的出現而改變？這是一個耐人尋味的問題，但我們只有一些答案。人與手寫文字的親密關係，或許還有從中獲得的樂趣，沒有立即被書所取代。古騰堡和其他早期印刷業者努力在印刷品中模仿手寫體，絕大多數的「搖籃本」（*incunabula*，一五〇一年以前出版的古版書）看起來非常像手抄本。說來其實矛盾，印刷術反而推動了書法藝術，展示優美書法藝術的手冊大量出版。書和手抄本一樣依然算是貴重物品，有金錢價值，也有美學價值。當時販售的書只是一疊尚未裝訂的散頁，裝訂費用有高有低，端看新主人的選擇，例如，大合訂本的聖經，長三十公分，寬四十公分，如果用牛皮紙裝訂，大約需要兩百張全羊皮。出版商很快開始出版更小更容易處理的版本，書不再是財富顯赫的象徵，而是追求知識或成就的象徵。到十六世紀末，讀者的需求開始起了變化，「買得起」成了大多數購書民眾的首要要求，印刷業者也就順勢推出更便宜的書，他們最重要的市場不再是文人雅士，而是更廣泛的讀者群。想賺錢，就要出版廉價版本的神學家作品、流行的宗教著作，以及重印已經證明廣受歡迎的暢銷書。

個人讀者

一五三〇年代左右，《瑪格麗・坎普之書》（*The Book of Margery Kempe*）只剩下一本傳世。在這部作品中，為了獻身宗教而離開丈夫的瑪格麗（c.1373–c.1439），記錄下她的經歷和神祕幻象。她遊歷四方，足跡遍及耶路撒冷、羅馬、西班牙德孔波斯特拉和巴特維爾斯納克（位於今日德國布蘭登堡）。一五三九年以前，這部書保存在英國約克郡卡爾特教團恩典山修道院圖書館，有四至六位讀者做了大量注釋。一位被稱為「紅墨水注釋者」的修道士，在書頁空白處和行間留下令人著迷的閱讀痕跡，他對於瑪格麗一生的詮釋和重塑——具體來說，是她所經歷的肉體誘惑和她的異端審判——一定會影響到這本手抄本的現代讀者。「紅墨水注釋者」以讀者身分出現，致力於粉飾瑪格麗，將她塑造成女性俗世讀者犧牲奉獻的典範，同時也是卡爾特教團信徒完美的默禱對象。他的注解設法確保讀者不會認為瑪格麗在物質、精神或智力生活方面犯了錯，例如，與異教徒調情。瑪格麗的作品是一個早期的提醒：我們所讀的東西，從來都不是純粹不摻雜質的，當我們所讀的東西來到我們面前時，一定早有人讀過。閱讀現代版本的《瑪格麗．坎普之書》，如果沒有紅墨水注釋者的筆記，我們不可能知道這本書離開作者的保護後哪裡遭到修改了。

那些抵抗宗教改革帶來變化的人們擔心得沒錯，有些人的確會輕信或者「誤讀」所讀到的內容。弗留利（今日義大利北部）的磨坊主人多莫尼科．斯堪德拉

（Domenico Scandella，1532–99）又名梅諾喬（Menocchio），就是一個好例子。他閱讀聖經和一些方言作品，建構出一套自己的宇宙論，好比說，他相信世界是排泄物構成的。他被判為異端，審判期間出示的文件，不只讓我們深入了解這位十六世紀磨坊主人讀了什麼，也讓我們知道他是怎麼讀的，像是誤將隱喻當成了事實。這種獨立的閱讀和思考讓他賠上性命，最後死於火刑柱上。

毫無疑問，個人讀者的閱讀方式受到性別、階級和種族的制約，但還有無數其他的變因，包括特定的環境、地點、宗教信仰、社交圈、個人教育內涵等等。有一些關於個人讀者的證據很有意思，值得我們想一想。在倫敦稅務局工作的約翰．道森（John Dawson，1692–1765）死後，他的藏書贈予了當地教區的教堂，一直保存至今。他擁有一百多本書，而且還替這些書仔細編目，替書籍編目在他所屬階層並不罕見。他對歷史格外感興趣，但更值得關注的是他使用書籍的方式：這些書多少構成一個複雜歸檔系統的基礎，讓他能夠加上注釋和補遺，創作出自己的書。首先，他會訂正印刷錯誤，添加遺漏的基本資料，像是補上頁碼。

他還會在頁邊空白處寫筆記，讓我們知道他閱讀時有哪些吸引了他的注意。他編寫年表、歷史人物列表和索引，讓自己方便找到自己手寫補遺的插頁。道森對書籍的使用方法，超越了閱讀的範疇，非常像是印刷術出現之前的時代使用手抄稿的方式。大英圖書館的珍本藏書研究已經證實，像道森那樣使用書籍，在當時是很普遍的情況，也有其他書有類似的跡象，顯示它們成了一本精心製作個人化版本的基礎，例如標題為「本書標記說明」的附錄，就是隨頁注釋的圖例，這暗示閱讀者希望過了一段相當長的時間後再讀這本書，所以需要一個備忘錄來解釋速記方式。

沒有證據能證明所有早期的現代讀者都是這麼使用書籍，但大量手抄書籍的存在證實了大多數讀者都執筆閱讀，抄寫下特別感興趣的段落。從某種意義上說，閱讀就是從一本書中摘取要點，抄錄下來，供日後參考，閱讀箚記（commonplace book）進一步證明了這一時期的閱讀方式。閱讀箚記的樣式是一本印刷的冊子，標題也會出現在索引中，目標是讓讀者閱讀時可以將筆記抄寫在適當的標題下，方便日後輕鬆檢索閱讀精髓。這是一種將閱讀和寫作完美結合的格式，無疑是現代早期最重要的知識分類工具。這種閱讀方式最早由偉大的人文主義者伊拉斯謨在《豐富風格的基礎》（*De utraque verborum ac rerum copia*，1513）中提出。

從十五世紀開始，大多數教會傳統鼓勵男孩和女孩識字，也鼓勵父母為孩子和其他家庭成員提供基督教教育。學習十誡，背誦詩篇和祈禱文，熟讀聖經，都促進了更廣泛的閱讀技能的發展。但儘管傳授了這些基本的閱讀技能，一般人很少會大量閱讀，原因之一是缺乏讀物。從十五世紀到十八世紀，絕大多數我們所說的認真的讀者都是貴族、神職人員、宗教婦女、醫師和富商。一些不太富有的商人——甚至女商人——在工作中運用了讀寫技能，但很少有人擁有書籍。能讀會寫的人擁有的書籍數量也是有限，這與「精讀」密切相關，這一點在圖書史上已是眾所周知。除了可能收集、建立私人藏書的富人，以及可以使用中世紀大學圖書館的人之外，所有人都反覆閱讀屈指可數的幾本書。但是我們可以說一個識字的「中產階級」慢慢出現了，粗略地說，中產階級的逐漸崛起標示著中世紀的結束，他們開始控制新經濟和企業，隨著財富的增加，越來越希望在政治進程中發揮作用（報紙的興起進一步助長了這種願望），參與在過去幾乎是富人專屬特權的文化活動的願望也越來越強烈。

第四章

現代閱讀

從十八世紀末開始的工業革命給閱讀帶來了變化。印刷工藝進一步發展，尤其是排版，弗里德里希．柯尼希（Friedrich Koenig，1744–1833）發明了蒸汽動力印刷機，西元一八一四年，倫敦《泰晤士報》購入第一架工業印刷機，每小時可以印刷一千一百份報紙，相較於手工操作的印刷機，這是一個非常顯著的改良。主要是柯尼希的蒸汽印刷機，加上更便宜的造紙術，促成了「日報」的誕生和迅速崛起。

報紙廣為流傳，讀者遍布各地。接著一八三五年，第一架商用「捲筒紙印刷機」問世了，報紙不再單張單張印刷，而是以整卷的方式連續印刷，印刷完畢後，再裁切成「頁」。最後，在一八四四年，理查德．霍（Richard Hoe，1812–1886）在美國發明了輪轉印刷機（見圖8），每小時能印出高達兩萬張的驚人數量。另一方面，世界許多地方開始修築鐵路，大幅加快了印刷品的運輸速度，人——非常多的人——也開始移動了。

一七五〇年到一八五〇年，工業革命（包括印刷術和它的連鎖反應）在英國

圖 8　理查德・霍的輪轉印刷機。（圖片來源：De Agostini/Biblioteca Ambrosiana/De Agostini Editore/age fotostock.）

迅速發展，在拿破崙戰爭後擴及歐洲大陸，造成包括城鎮擴張在內的深刻改變。一八〇一年，全歐洲僅有百分之十七的人口居住在城市，到了一八五一年，也就是不過五十年後，這一比例卻提升到了百分之三十五，到一八九一年，則上升到百分之五十四。十九世紀上半葉，英國的城市發展最為明顯，大約半個世紀前幾乎完全是農村地區的「中部工業區」——曼徹斯特、伯明翰和里茲等地——發展起來。與此同時，倫敦、巴黎、維也納、柏林、羅馬、馬德里和紐約等大都會也迅速成長。

大城小鎮無可避免成了閱讀的特許之地。當然，書也進入了農村地區，只是都會地區可以直接取得讀物，因此具有明顯的優勢，尤其是城鎮的識字率往往也更高，縱使大多數人的閒暇時間仍然有限，但終究比農村地區更多。更快的交通工具和相關的現代郵政服務改善了情況，也許只有網路才能真正替城市和農村讀者提供一個公平的競爭環境，讓他們從網路取得閱讀材料。十八世紀末，一位德國遊客驚訝地記下了在巴黎的見聞：

> 每個人都在讀書……每個人，尤其是女性，口袋裡都帶著一本書。人們在乘坐馬車或散步時閱讀，幕間休息時，他們在戲院裡看書，在咖啡館，甚至在洗澡的時候也看書。婦女、兒童、工人和學徒在商店裡讀書。星期天，人們坐在房子前面看書；僕人在他們的後座上看書，馬車夫在他們的車廂上看書，站崗的士兵也在看書。

一七一七年，腓特烈・威廉一世（Frederick William I）在普魯士創辦免費義務教育，他的兒子腓特烈二世在一七六三年進一步推廣，奧地利帝國於一七七四年也開始實施。到了十八世紀，英國一系列偶發事件聯手推動了閱讀：除了教育和識字率上升以外，大致還有一種普遍的政治共識，即讀寫能力可以增強民族性以及與歐洲各國競爭的經濟。到了世紀之交，新獨立的美國開闢了一個快速成長的特殊市場，美國某些地區的識字率比世界任何地方都要令人驚嘆。

從一七八七年至一七九七年的十年間，百分之八十四的新英格蘭人和百分之七十七的維吉尼亞州人簽署了遺囑；當然，這是一個粗略衡量識字率的標準，但這個數字明顯高於其他任何地方。在世紀之交的加拿大，能讀會寫的女性比例（百分之八十九點六）高於男性（百分之八十八點四）。

那麼，這個持續擴大的讀者群在讀什麼，他們所讀的內容對他們有什麼影響呢？他們閱讀報紙、期刊、布道和手冊——但主要還是小說。從一張依據大英圖書館「英文簡明目錄」製作的圖表，可看出小說閱讀量飛速增長（見圖9），詩歌和戲劇仍然很受歡迎，布道和其他宗教小冊子、歷史和教學書籍也是如此，這些書籍的閱讀量也越來越高——但遠遠不及小說。

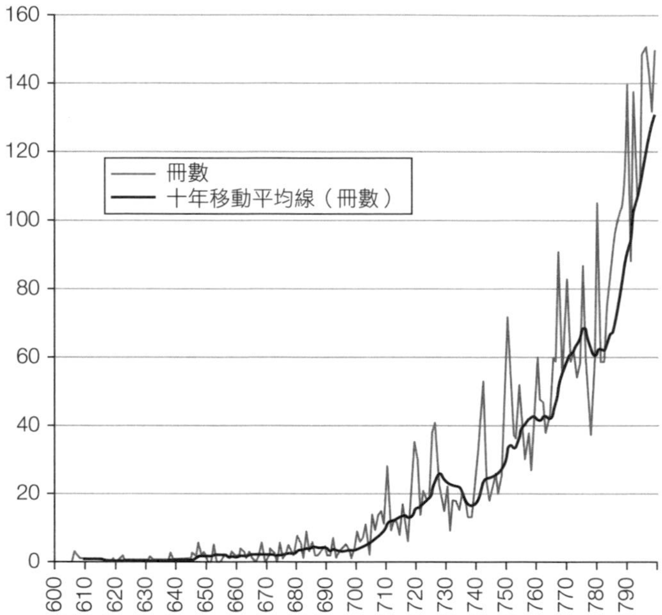

圖 9 「英文簡明目錄」（ESTC）每年歸類為「小說」的書籍數目（1600–1799）。（圖片來源：Olaf Simons/CC BY-SA 3.0. Reproduced under the terms of the Creative Commons Attribution-ShareAlike 3.0 Unported license. https://creativecommons.org/licenses/by-sa/3.0/deed.en）

「說故事」的傳統從古老文明的口述文化開始，而小說這個體裁通常被視這個傳統的頂峰，一般相信希臘和羅馬最早的小說以口述傳統中流傳已久的故事為基礎。無論是十二世紀的日本還是中世紀的歐洲，故事——也就是傳奇，創造了一個世界，在這個世界裡，人可以決定自己的人生，也可以表達親密的感情。高尚行為的新觀念也與這些故事密切相關，例如相對於「英雄」的「豪俠」觀念。

但是，我們能定義什麼是小說嗎？小說家沃爾特．司各特（Walter Scott）指出了「傳奇」（romance，也是一種長篇散文敘事）和小說之間重要的區別，傳奇顯然是口述故事傳統的延續，小說則提供了新的東西。司各特將前者定義為「用散文或詩歌虛構的敘事，關注在奇妙和不尋常的事件上」，而另一方面，小說的「事件符合人類事件的一般推理和現代社會狀態」。一般普遍認為，傳奇是一部相當漫長的散文敘事作品，篇幅有別於短篇或中篇小說。小說也是虛構，毫無疑問大致是基於現實生活和作者自身經歷的某些方面，而非如實描述真人實事。然而，小說往往被認為「反映真實」，「擬真」（verisimilitude，相似於現實生活的程度）經常是衡量某部小說成就的準尺。我們時常誤以為小說由各種不同要素構成，如情節、人物、描述等等，區分這些要素往往並不合理，比如說，對天氣變化的描述，從風和日麗、溫和平靜到烏雲密布、冷風颼颼，通常會營造出一種不祥的氣氛，預告情節將出現險惡的轉折。人物的心境，他所處的實質空間，以及情節發展方向的初期徵兆，已經同時描述出來了。

小說這個體裁的類型學就分析到這裡，小說的過去呢？小說有一點值得注意，那就是它連續不斷的歷史。小說從來沒有經歷過任何重大的中斷後死而復生，古代拜占庭、古希臘和古羅馬都有小說。然而，在古代世界，小說是集體朗讀，集體朗讀小說是小說的另一個標記，把閱讀小說當成私人的，甚至是祕密的活動，在小說史上是一個相對較晚的創新。說起最早出現的小說，通常會被提起的有：佩托尼奧（Petronius）的《薩蒂利孔》（*Satyricon*）、卡利東（Chariton）的《卡利羅亞》（*Callirrhoe*），這兩部皆為一世紀中葉的作品；阿基利斯・塔提烏斯（Achilles Tatius）的《萊西普和克里托蓬歷險記》

（*Leucippe and Clitophon*，西元二世紀初）、阿普列尤斯（Apuleius）的《金驢記》（*The Golden Ass*，西元二世紀中葉）、朗格斯（Longus）的《達弗尼斯與克洛伊》（*Daphnis and Chloe*，西元二世紀）、艾菲索斯的色諾芬（Xenophon of Ephesus）的《以弗所故事》（*Ephesian Tale*，西元二世紀末）、埃邁沙的赫利奧多羅斯（Heliodorus of Emesa）的《衣索匹亞人》（*Aethiopica*，西元三世紀）。這些小說基本都描述一個善良女子和一個值得欽佩的男人之間的異性戀浪漫愛情故事，這些古代小說的傳統道德讓一些學者認為，它們之所以流傳下來——而其他的確可能失傳了——正是因為情節符合基督教的美德期許因而獲得認可。

例如，在《達弗尼斯與克洛伊》這部動人故事中，男女主角一出生都雙雙被拋棄在希臘山坡上，只留下一些信物。牧羊人拉蒙發現達弗尼斯後收留了他，牧羊人德律亞斯也找到了克洛伊。兩人在米蒂琳鎮一帶長大，不知道對方的存在，同樣都幫著養父母放牧羊群。淘氣的愛神厄洛斯決定插上一腳，讓兩人互相產生濃烈的愛意，只是他們都無法理解自己何以被突如其來的激情所困擾。然而，一個聰明的牧童菲萊塔斯告訴他們，想治療他們無法抵抗的感情，唯一方法是親吻，他們於是這麼做了。接著米蒂琳鎮的女子萊西埃尼恩傳授達弗尼斯做愛的藝術，但是警告達弗尼斯，克洛伊的首次性經驗對她來說可能不全是愉悅的，甚至可能是痛苦而血腥的。由於這些原因，達弗尼斯拒絕和克洛伊做愛。小說以這對年輕戀人的愛情為框架，在這個框架中，簡單地說，包括了企圖綁架、成功綁架（克洛伊）、潘神拯救克洛伊等等故事。達弗尼斯也遭逢類似的考驗：他遭到海盜襲擊和綁架，險些被性侵。最後，達弗尼斯和克洛伊都被親生父母認出來，兩人結為夫妻，從此在鄉下過著幸福的生活。

朗格斯的這個故事只有形式是原創，故事的構成要素、善良的一方、侵略者、預兆夢和諸神的突然干預，都是希臘口述傳統中熟悉的特點。但朗格斯將這些元素處理成一個完整的故事，夾著微妙的諷刺，對於年輕人的愛情以及他們對性的無知，也提出了恰當且有力的洞察。

六世紀或七世紀的梵文作品，以及日本十一世紀的《源氏物語》，也是古代小說的先驅或實例，阿拉伯和中國的小說家也對這個體裁的萌芽有所貢獻。紫式部的《源氏物語》（1010）深入刻劃心理，人物發展完整，一般被認為是第一部真正的小說。但要討論這部作品，必定要考慮到一點，那就是它有大約八十八個不同版本流傳下來，英譯本不計其數，這證明了它充滿了歧義，也證明了它的「文學」地位。

《源氏物語》的作者是女性，讀者是一群在嚴格管控的特殊閱讀文化中的女性。故事描繪平安時代（日本古代最後一個歷史時代，794–1185）備受尊敬的朝臣，提供了一個窗口，讓後人得以一窺久遠以前的女性生活方式。它的語言古老，詩意風格增加了它的陌生感，日本讀者幾乎讀不懂，更遑論外國讀者了，除非他們是日本文學學者。

直到二十世紀初，學術圈之外有人對日本文學文化史起了興趣，《源氏物語》才被翻譯成現代日語。第一個英譯本在一八八二年完成，不過一般認為是二流翻譯，拙劣的譯本如何替屬於遙遠文化傳統的作品贏得新讀者，這值得懷疑，但無論是從讀者還是國際文學影響力的角度來說，譯本能夠發揮至關重要的作用，尤其是與新興的現代小說相關的譯本。

《源氏物語》是一部充滿詩意的作品，提醒了我們，在世界另一個地方，史詩發展出一些日後轉移到現代小說體裁中的元素，基本上也就是講故事的要素，以這部作品來說，包括了光源氏的生活和愛情，他的功績，他的野心，他的遺憾，以及後來跟他一樣的將軍的故事，特別是他的孫子。這些史詩有許多情節成為現代歐洲小說的情節。另一個早期著名的例子是阿拉伯故事《哈義・本・葉格贊》（*Hayy ibn Yaqdhan*，通常也翻譯成 *The Improvement of Human Reason: Exhibited in the Life of Hai Ebn Yokdhan*），在後來的小說中，我們也會看到一樣的故事情節。這部作品是伊本・圖費勒（Ibn Tufail，又稱 Aben Tofail 或 Ebn Tophail）十二世紀的作品，包括「一個附錄，簡要討論人類在沒有指導的情況下真正認識上帝的可能，以及救贖的必要條件」。

故事聽起來可能有點耳熟，一個名叫哈義・本・葉格贊的野孩子在熱帶島嶼獨自長大，由一隻收養他的羚羊照顧，提供乳汁和食物把他養大。他和周圍的動物鳥禽一樣，透過直接的感官經驗學習。說來也許有些不可思議，他自己動手做鞋製衣，研究多樣複雜、相互依存的島嶼環境，靠著經過縝密思考的調查，累積了智慧。他過著自律的生活，禁止自己吃肉，因為那些動物是他的同伴。長大成人後，他碰到坐船遇難逃到孤島的阿布薩。阿布薩在社會中長大，他們的對話讓哈義對人類存在的本質獲得更深一層的智慧。在討論正式宗教時，哈義得出了一個結論：對於庸碌之輩而言，利慾心——以及比喻性語言（尤其是隱喻）——可能是有組織的宗教的必要層面，但對於那些獨立找到真正信仰的人來說，它們是對最終真理的干擾，不該是必要的。

《哈義・本・葉格贊》啟發了一系列多元的同類作品——不是駁斥伊本・圖費勒的論點，就是受其影響。一六七一年，小愛德華・波科克（Edward Pococke the Younger）將這部作品翻譯成拉丁語，以《自修的哲學家》（*Philosophus autodidactus*）書名出版，使它多了國際讀者，一七〇八年，第一本英譯本也出版了，又有更多的讀者知道這部作品。這些譯本經常被認為可能是丹尼爾・笛福（Daniel Defoe）的《魯濱遜漂流記》（*Robinson Crusoe*）的靈感來源，《魯濱遜漂流記》同樣是描述孤獨生活在荒島上的漂流者的精神成長。伊本・圖費勒的小說也與西方哲學的基本思想有關，譬如約翰・洛克（John Locke）的「白板」（tabula rasa）概念，即我們生來就沒有先天的知識，只能從感知的經驗中學習，洛克在著名的《人類理解論》（*An Essay Concerning Human Understanding*，1690）中探討了這些觀點，大致構成了西方「經驗主義」思想基礎——所有的知識都是基於生活經驗。

在十七、十八世紀，《哈義・本・葉格贊》成了西歐暢銷書（一個不合時宜的形容，因為「暢銷書／best-seller」一詞直到十九世紀末才出現），對古典伊斯蘭哲學影響深遠。十九世紀前，最受歡迎的書在出版後的幾週，就可能有大約兩萬名讀者讀過，一些知性的歷史學家更進一步認為，伊本・圖費勒的小說是現代科學革命和歐洲啟蒙運動的基石，影響了湯瑪斯・霍布斯（Thomas

Hobbes）、艾薩克・牛頓（Isaac Newton）以及更大膽的伊曼努埃・康德（Immanuel Kant，他認為我們的心理結構提供了人類經驗的結構）等作者的作品。被視為伊本・圖費勒的知識分子後裔的歐洲作家，還有哥特佛萊德・萊布尼茲（Gottfried Leibniz）、羅伯特・巴克禮（Robert Barclay）和歐洲啟蒙運動的主要精神領袖伏爾泰。

歐洲啟蒙運動是人類思想的偉大革命，與越來越多人閱讀小說的事實密不可分。這個國際現象通常以譯本為基礎，比起人類歷史上任何早期的寫作形式，更為普及流傳，而且涉及更廣泛的社會階層的讀者。也許最重要的是，閱讀小說引發了熱烈討論、激烈辯論和公開爭議，閱讀不再主要是資訊、靈感、娛樂和消遣的來源，而是談話和討論的催化劑。在中國，人口從農村遷移到城市，加上印刷業的發展，說書的話本在中國首次刊印成文，這發生在國祚綿長的明朝（西元一三六八年至一六四四年），比歐洲在閱讀領域的類似變化早了一個多世紀。

在歐洲，現代小說的興起遇上一群已經習慣十六世紀「故事小書」

（chapbook）形式閱讀小說的讀者，不過 chapbook 一字是十九世紀才創造出來形容十六世紀的東西。這類小冊子生產成本低廉，價格便宜，通常印在一張紙上，折成一本八至二十四頁的小書，有的印著木刻版畫插圖，內容包括民間故事、童謠、宗教故事、道德短文、兒童故事（包括童話和鬼故事）、民謠、曆書和詩歌。故事小書在十七和十八世紀越來越流行，在法國這類刊物稱為「藍色文庫」（bibliothèque bleue），因為第一個出版商以藍色書皮發行；在德國被稱為「人民的書」（Volksbücher），也就是平民老百姓買得起的書。歷史故事越來越受歡迎，包括古代和中世紀的歷史以及神話。故事小書在新興識字城市的「中產階級」特別受歡迎，這類讀者群以及他們所閱讀的東西與純文學（belles lettres，傳奇、歷史和宗教內容）截然不同，純文學書籍裝訂昂貴，銷售目標是鄉紳和新興的富裕階層。

印刷商和書販子沿街兜售故事小書，吸引包括成人和兒童在內的新閱讀階層。故事小書的設計追求低製作成本，所以通常保存不易，而且家人朋友之間經常借來借去，沒兩下就翻爛了，因此有時又被稱為「應時讀物」（ephemera），但它們成了大量讀者的重要閱讀記錄。以這種形式出版的內容種類持續增多，包括短篇名人傳記和新聞故事，印刷量也漸漸地多了起來，最後開始批發給書店。然而，流動小販仍然帶著故事小書和其他商品一同兜售——日用品、調味品、手套和扇子，以及農村居民無法獲得的小小奢侈品。市場上有大量出版物的時機已經成熟。

在伊恩．瓦特（Ian Watt）影響深遠的研究《小說的興起》（*The Rise of the Novel*，1957）中，他推論十八世紀丹尼爾．笛福、塞繆爾．理查森（Samuel Richardson，一六八九至一七六一年）和亨利．菲爾丁（Henry Fielding）的主要作品是現代小說的開端。在早期的草稿中，他用第一章來對現代小說的形式特徵進行理論探討，但他覺得讀起來很枯燥，少了他在所有文字作品中所追求的完整縝密思考，因此他捨棄這一整章，改寫成：「如果笛福、理查森和菲爾丁是現代小說的開端……」他認為，小說與它們的前身，特別是古希臘、歐洲中世紀或十七世紀法國的散文小說，在本質上是不同的，事實上，直到十八世紀末，「小說」（novel）一詞才成為一個通用術語。他認為，十八世紀作品最廣為流傳的三位作家的小說，多少是閱讀機會的改變、個人主義意識的抬頭（包括經濟上的個人主義，粗略地說就是人人為己）以及新教傳播（特別是卡爾文教派或清教徒教派）的結果。這些因素影響了角色的個性刻劃——遠離「典型人物」或誇張描述，詳細呈現真實或想像中的環境和情況，描述令人信服，讓讀者容易想像。瓦特試圖證明，傳記、社會學和歷史知識可以解釋藝術作品的形式，這種理解有利於讀者想像作者所寫的內容，同時也讓讀者以一種新的方式理解文化歷史。文學之所以重要，不單因為它反映了時代精神，也因為它反過來成為文化和思想史的重要組成部分，發揮著自身的力量。

那麼，小說的新穎之處是什麼呢？從本質上講，在於它新奇的「現實主義」。在一八三〇年代，法國用 réalisme（現實主義）一詞區分繪畫的兩大流派：一是新古典主義理想（idéalité poétique，詩意理想）；一是以荷蘭畫家林布蘭（Rembrandt Harmenszoon van Rijn）為代表的「人類的真相」（vérité humaine），尤其是人類欲望和行為中不太討喜的方面，成了該體裁重要的一部分。笛福、理查森和菲爾丁被認為是英國小說的先驅，與小說的主人公摩爾．弗蘭德斯、帕梅拉和湯姆．瓊斯分別是竊賊、偽君子和私通者有很大關係。

是讀者想讀到生活得更符合「現實」的人物，還是作家把世界描繪成一個「充斥著不太理想的人物」的世界，而讀者適應了這些變化呢？或者是讀者群發生了非常巨大的改變？長期以來，現代小說（十八世紀出現的小說）與革命、現代民主國家的崛起聯繫在一起，這一點更是引發了許多的疑問。其他的改變包括開始使用、讚賞反諷與諷刺的敘事模式，宗教信仰在同一時期逐漸衰落，至少在基本教義的那一派——例如，把聖經故事和寓言當作字面意思而非隱喻來讀。職業的興起——受過訓練的「中產階級」的興起，或多或少也與新讀者群的興起同步。儘管文學世界一直是純文學的領土，職業作家和出版商也登場了，他們靠自己的努力謀生，因此會依據讀者的閱讀欲望調整作品的方向。

小說是一種特別的讀物，關於它的新穎之處，也有其他特別的主張。有人認為，小說體裁允許讀者從許多不同角度思索一個（虛構的）世界，這種「多聲部」特點在小說中創造一個真正平等的社會，這解釋了小說與現代民主國家的興起和普及有日益密切的關聯。

關於讀小說促成新個人主義意識抬頭，有一個相當有力的論點是，某些小說創造出特立獨行的人物，他們有能力也願意展現機智、意志或幹勁，這些特質說明他們能夠在社會上攀升，徹底改變社會地位。他們改變地位的高低與他們感覺到的「價值」一致。一旦小說開始創造出如此非凡和成功的個體時，讀者就開始意識到自己是具有不同程度的自由意志和能力的個體，反過來改變了自己在社會中的位置，例如離開一個群體，加入另一個群體。這些觀念與許多特別有影響力的小說家有關，包括丹尼爾・笛福、珍・奧斯汀（Jane Austen）、沃爾特・司各特、夏綠蒂・勃朗特（Charlotte Brontë）、查爾斯・狄更斯（Charles Dickens）、喬治・艾略特（George Eliot）、托馬斯・哈代（Thomas Hardy）、萊特・哈葛德（Rider Haggard）和伯蘭・史杜克（Bram Stoker）。我們可以說，這些作者的作品讓讀者相信自己可以改變，每個人其實都有許多的可能。

因此，關於小說越來越受歡迎的那段時期，有兩個關鍵問題：人們在讀什麼？如何閱讀？第二個問題較難確認，但我認為更為重要，也更加耐人尋味。小說，這個閱讀領域的新市場領導者，是如何被閱讀的？閱讀的「認真」程度如何？閱讀又是如何真正影響人的觀念，影響人想要的生活方式——無論是社會的、宗教的、哲學的、政治的，還是與性別有關的，或者閱讀還能怎麼影響我們想要的生活方式？圖書史可以告訴我們當時出版了什麼，出版成本是多少，它可以告訴我們印刷量，通常也可以告訴我們出版品的傳播方式。它可以告訴我們某本書是否列入圖書館書目，借出多少次，借出了多長的時間。它多少可以告訴我們讀者的反應，告訴我們某本書是否與何時被評論或討論，留下什麼討論紀錄。但鑑於大多數小說閱讀的隱私性和往往不留痕跡的事實，我們能知道人們是如何閱讀的嗎？這是一個很大的主題；以下是兩個特別引人注目的例子，第一個驚人例子是約翰．沃爾夫岡．馮．歌德（Johann Wolfgang von Goethe）的《少年維特的煩惱》（*The Sorrows of Young Werther*，1774），第二個例子與女性作家創作的小說受到女性讀者喜愛有關。

一七七四年，歌德出版一部名為《少年維特的煩惱》的小說，這是一部書信體小說（即主要由信件組成），某些方面顯然具有自傳性質。一七七二年十月三十日，也就是小說出版的前兩年，歌德的朋友卡爾．威廉．耶路撒冷向歌德另一位友人J．C．凱斯特納借了一把槍，然後吞彈自殺。歌德在萊比錫讀書時第一次見到耶路撒冷，一七七二年夏天，在德國中部的韋茨拉爾，他們成為了好朋友。毋庸置疑，這一悲劇對歌德造成深刻的影響，《少年維特的煩惱》在某些方面可以看作是為朋友平反的嘗試。

歌德和其他朋友可能討論過耶路撒冷的死，在《少年維特的煩惱》中，有一封虛構的維特的信（一七七一年八月十二日），大部分內容可能是歌德本人在試圖理解耶路撒冷的自殺，甚至是為之辯護時的舌戰摘要。此外，耶路撒冷的人生和維特的人生有許多明顯的相似之處，尤其是他們都苦戀著一名已婚女人（而且是單相思）。歌德這部小說的其餘內容主要來自他的親身經歷，他熱戀夏綠蒂·布夫（後來成為凱斯特納妻子），歌德寫給她的信，與維特寫給小說中的洛特非常相似。

《少年維特的煩惱》是德國第一部中篇小說（novella，這是德國文學中一種重要且流行的體裁）、德國第一部書信體小說，也是德國第一部讓作者和他的國家文學揚名國際的作品。譯本很快在法國和英國兩地出現，截至一八〇〇年，英國共出版了二十六個不同的版本（根據法語譯本翻譯）。身為現實主義者的拿破崙非常欣賞這個故事，據說讀了七遍，一八〇八年他與歌德見面時，還討論了這個故事。在德國，這部作品掀起巨大的轟動，在首版後的十二年內，有二十個未經授權的版本發行。一七七五年，歌德到威瑪宮廷，人人都是一身「維特裝」：藍色燕尾服，黃色馬甲，長褲配上高統靴。這部小說受到讀者熱烈喜愛，因此出版之後市面出現非比尋常的大量周邊商品：以小說場景做特殊裝飾的瓷器、扇子、甚至紐扣；洛特的人臉剪影四處流傳；有一款香水直接以歌德的主人翁命名（「維特香水」）；維特的打扮出現在時尚雜誌和書籍上。

今日的讀者如果讀了這部小說，可能會對它當時的暢銷與轟動感到驚訝和困惑。故事在許多方面仍舊可信感人，但讀者很難認真接受人物過度的情感流露，要讀《少年維特的煩惱》，無疑需要盡量像它的第一批讀者那樣閱讀。這部作品向我們展示了十八世紀年輕人的感受和行為，以及十八世紀的人喜歡情人如何表現出奉獻的精神。

更引人注目的是讀者解讀這部小說的方式。據說許多國家的讀者顯然被這部小說說服了，一旦失戀，就模仿維特尋死。根據歌德的說法，「我的朋友們……認為他們必須把詩歌變成現實，在現實生活中模仿小說，總之，他們開槍自殺了；起初少數人這麼做，後來普通大眾也跟進了……」沒有確鑿的證據證明很多人模仿維特自盡，但我們確實知道很多官方當局非常關注這本書，比方說，這部小說在萊比錫和哥本哈根就成了禁書。

今時今日，很難確定十八世紀失戀青年的自殺率是否驟然上升，但精神病學家近來的研究結果幾乎可以肯定「維特效應」（即今天精神病學界所稱的「自殺模仿」）是存在的，這證明了某些類型的閱讀——或讀者——的險惡力量，所以許多國家現在制定了媒體報導自殺事件應當遵循的準則。可能具有危險影響力的，並不是報導自殺，而是報導的方式。反過來，藉由報導方式預防自殺，近來也有了一個名稱，叫「帕帕基諾效應」（Papageno effect），帕帕基諾是莫札特歌劇《魔笛》（*The Magic Flute*）中的人物，他擔心已經失去了愛人帕帕吉娜，所以計劃輕生，但在最後一刻遭到仙童攔阻，他們建議他敲響他的魔鈴來召喚帕帕吉娜，她果然出現了。

因此，閱讀《少年維特的煩惱》會引發自殺事件的軼事類型證據，開始顯得更加令人信服。精神病學的最新證據指出，這部小說的敘事技巧或許可以解釋其可怕的影響，因為它的書信表現形式比「書信體」一詞（由虛構的書信交流組成）更奇特。歌德的小說與早期書信體小說不同，有一個獨特之處，就是少了維特的通信對象所寫的書信——我們只讀到了一半的故事。維特給務實的友人威廉寫信，但讀者看不到威廉的答信，讀者於是成了威廉的替身。

十八世紀的讀者習慣閱讀具有明確道德訊息的小說，這些訊息通常由敘述者闡明，但閱讀《少年維特的煩惱》時，只能根據維特後來的信猜測威廉的反應。當讀者完全認同了維特之後，「編輯」（較晚才在故事中出現）在結尾處通知他們，維特冷不防自殺了，讀者不得不對這一起令人煩憂的事件做出解釋。

對讀者產生如此深遠影響的，是故事的敘述方式，不是故事本身，我們只能試著去理解，就像歌德在現實生活中設法理解耶路撒冷的自殺。在某種程度上，我們必須對自己說這個故事，而有些年輕人可能在這麼做的同時加深了自己的悲傷，也可能有人編造一個不同的——更樂觀的——故事。有趣的是，如同前面提到的，為了將模仿自殺的風險降至最低，媒體在報導自殺實例時必須非常謹慎。所以，總結「歌德的作品如何被解讀」這個問題的答案，我們可以得出這樣的結論：有些年輕男子和女子，很可能以極端、致命、悲劇和認真的角度來看待這個故事。歌德的《少年維特的煩惱》的故事，為歷史如何決定閱讀提供了一個有力的證據。

同一時期的女性作家的讀者又有多感動呢？說來有趣，女性作家寫作往往是回應自己的閱讀。她們為我們提供了有趣的見解，讓我們了解在十八世紀有些女性「如何」閱讀，也提醒我們，閱讀毫無疑問是寫作的必要條件。作者可能根據自己的經驗和想像來寫作，但他們的寫作與他們的閱讀也有密切關係，這或多或少是有意識的行為，以十八世紀的女作家來說，往往是非常刻意而為之。

德詹利斯伯爵夫人斯蒂夫妮・菲麗希緹（Stéphanie Félicité comtesse de Genlis，1746–1830）就是一個傳奇例子：一個拒讀男性作家的女性讀者。她生於貴族豪門，晚年窮困潦倒，最大的原因是她咄咄逼人、或讓人覺得咄咄逼人的文字。如同時代的大多數人，她的教育大部分是自己設計的，她熱中於閱讀，這份喜好在早年發展成了促進女性教育的熱情願望，她也關心透過新學習方式推動婦女權利和權力的有效途徑，在讀了尚—雅克・盧梭（Jean-Jacques Rousseau）

備受讚譽的教育小說《愛彌兒：或，論教育》（*Émile: or, On Education*，1762）後，燃起了濃烈的興趣。這套書分為五卷，其中一卷特別關注一個名叫蘇菲的女孩的教育問題，根據盧梭的小說，栽培年輕女子應該是為了讓男人得到充分的幸福。盧梭對此有明確的闡述：

> 因此女性的整體教育必須與男性有關，取悅男人，協助他們，得到他們的愛和尊敬，在他們年幼的時候養育他們，在他們成人後照顧他們，安慰他們，讓他們的生活愉快平和——這些是女性的職責……這是她們必須從小開始接受的教育內容。

德詹利斯夫人認為，盧梭非但沒有排除女性「陶冶心性」的可能，反而還加以支持，目的只有一個，那就是讓婦女成為丈夫和社交圈中更理想的伴侶。盧梭解釋說，女性的談話應該「愉快但不用巧妙，周全但不必深刻……當人們與她交談時，似乎總能發現她說的東西很有趣。」顯然，女性必須活潑有趣，但不能比她們的男性對話者更有魅力，她們要展示的是伶俐，而非智慧。盧梭將他的女性教育理論建立在「大自然」的支配之上——他是這樣聲稱的——正是這種不敬畏神的關鍵，導致他的書甫出版就在巴黎和日內瓦被禁。但如同許多禁書，它們很快在歐洲成了暢銷書，到了法國大革命，《愛彌兒》已經成了發展非神職、新國家教育系統的基礎論文之一。在十八世紀下半葉（一七五一至一七九六年），它有至少六十一個英文版，成為英國最多人讀的書之一，受歡迎程度只遜於持懷疑態度的哲學家伏爾泰。

《愛彌兒》不單讓德僉利斯夫人既憤慨又好奇，也成了她在一七八二年出版的教育專著《阿黛爾和泰奧多》（*Adèle et Théodore*）的主要靈感之一。值得注意的是，她在書名中把女孩的名字放在男孩的前面。難以想像，今日會有一部冗長而詳細的教育學著作登上暢銷書排行榜，但德僉利斯夫人的書做到了。她的作品甚至在國外也大受歡迎，在英國和盧梭、伏爾泰的作品受歡迎程度不相上下。德僉利斯夫人反對盧梭的意識形態立場有幾個原因，首先，她反對他關於原罪不存在的主張，不過她真正反對的是，盧梭認為有必要限制女性教育的主張，《阿黛爾和泰奧多》猛烈批評了這個觀點。在她的《城堡之夜》（*Veillées du château*）第三卷中，她對盧梭的否定變得強烈而明確，《城堡之夜》成了她迄今為止最熱賣的書，首刷的七千本在八天內售罄，它也立即翻譯成外文，在法國、英國、美國、德國、西班牙和義大利至少印刷了六十回。德詹利斯夫人對婦女教育、以及男性試圖限制婦女教育的方式的看法，直接反擊了盧梭和其他不太知名的男性理論家：

男人（難得）屈尊在我們的教育上花點心思時，他們希望給我們朦朧的觀念，因此往往提供了錯誤膚淺的知識和無聊瑣碎的才能……一個文人學者，如果他的女兒流露出機智和對詩歌的熱愛，也許會忍不住去培養這些才能，但這位父親首先關心的會是什麼呢？哎呀，剝奪這位年輕學者激發毅力的信心和克服困難的雄心，他給她規定了努力的界線，命令她不要超越……（他）繞著他年輕的學子畫了一個窄圈子，不許她跨出。如果她有高乃依或拉辛的天分，她會不斷地被告知，除了小說、牧歌和十四行詩之外，什麼都不要寫。

德僉利斯夫人受到讚許，一方面是因為她相對的宗教保守主義，但另一方面也因為她獨到的教育見解和對男女兒童教育平權的信念。她的創意獨樹一格，又深具想像力，其中之一是將朗讀（或邊唸邊表演）道德短劇當成她教育法的關鍵。她認為這麼做能灌輸正確的價值觀，也是一種優良且「寓教於樂」的培養識字能力方法，閱讀不單要求「發音」正確，還需要投入有意義和恰當的情感。

德僉利斯夫人並非該時期唯一關注女性教育遭到忽視的女性，但在十八世紀，在德僉利斯夫人之前，沒有人專門針對年輕女性的「教養」教育編寫新的道德劇。在英吉利海峽的另一側，知名的伊麗莎白·蒙塔古夫人（Elizabeth Montagu，1718–1800）熱情地向女性晚輩推薦她所寫的道德劇。蒙塔古夫人是社會改革家，創辦沙龍，贊助藝術家，也是藍襪社（Bluestockings）的主要創辦人。德僉利斯夫人的戲劇在一七八一年首次譯為《教育劇場》（*Theatre of Education*），《批評評論》（*Critical Review*）給予高度評價，形容它「對年輕女子特別有幫助，因為它們主要是用來指導她們的。」

盧梭激勵了德詹利斯夫人的文字創作，而她的作品同樣對其他女作家起了重要的催化作用。《阿黛爾和泰奧多》一出版，瑪利亞·埃奇沃思（Maria Edgeworth）便立刻拜讀，然後馬上著手進行英文翻譯，但終究晚了別人一步，她只是眾多被她們的歐洲好姐妹打動的著名女作家中的一個。珍·奧斯汀在小說《艾瑪》（*Emma*）中以贊許口吻提到了這本書，瑪麗·沃斯通克拉夫特（Mary Wollstonecraft）在策劃《女權辯護》（*A Vindication of the Rights of Women*，1792）時，更是反覆閱讀。

伊麗莎白·卡特（Elizabeth Carter，1717–1806）是當時一位相當不同的女性讀者與作家，大致上也是自學成才，只是她很幸運，她的牧師父親鼓勵並指導她接受教育。她精通數種現代語言，拉丁語、希臘語、希伯來語和阿拉伯語的閱讀能力也很強。她是一位詩人，但她的主要智力貢獻是翻譯，她翻譯了她認為可能沒有機會學習外語的英國女性讀者應該閱讀的作品，而這些都不是以娛樂為主的小說。弗朗切斯科・阿爾加洛蒂（Francesca Algarotti）的著作《寫給女性的牛頓主義》（*Il Newtonianismo per le dame*，1737）是卡特優秀的翻譯作品，這不是一部膚淺的作品，要翻譯並不容易。然而，儘管書名嚴肅，又略帶誤導性，卡特的譯本仍舊成了十八世紀的暢銷書，帶有性別色彩的書名也沒有嚇阻男性，這本書成了向大眾介紹牛頓思想的重要著作。標題可能讓人以為這是一本令人生畏的科學論著，但其實不然，這本書由騎士和侯爵夫人（某E夫人）之間的對話構成，篇幅很長，但生動有趣。

故事發生在加爾達湖附近一座宏偉的義大利別墅裡，這個背景讓鏡子（在寬敞的餐廳）和錯視畫（在別墅富麗堂皇的畫廊裡）成了工具。格局工整的噴泉花園允許搬演牛頓光學理論的不同觀點，因此他們輕鬆愉快地對話，甚至是出乎意外地閒聊，探究了物質和光之性質的物理理論（有些被認為是未經證實）。在故事的最後，侯爵夫人早先的懷疑一掃而空，反而對牛頓的理論充滿了信心，不僅是關於光，還有他廣泛的哲理幾乎無所不包的一切。阿爾加洛蒂讓實驗科學得以外推擴展到形上學、倫理學和政治學等不同領域。當時，牛頓主義被視為對信仰的直接威脅，很快被列入天主教的禁書名單（一七三九年）。卡特完成第一部譯本後，英語、法語、德語和荷蘭語等譯本也隨後出現，卡特因而證明自己是十八世紀眼光最為敏銳的女性讀者之一。當時的譯者經常提供異於原文的標題，我們可以假設卡特盡力以最貼近原文的方式翻譯了阿爾加洛蒂的作品，因為她認為女性讀者首先應該閱讀阿爾加洛蒂。卡特其實只是眾多女性譯者中的一個；女性譯者所選擇翻譯的作品，讓我們得以深入了解她們強烈認同那些作品，進而希望其他讀者也能夠接觸到這些作品，尤其是所受的教育讓她們無法接觸到原作的女性讀者。

要了解十八世紀女性的閱讀情況，我們還有女性讀者自己留下更為明確的證據，但這些證據有幾分可信度呢？我們必須考慮到諷刺、自嘲、戲謔、裝腔作勢等等。有的作家收到雪片般的女讀者來信，知名小說家塞繆爾・理查森就是一個，有些來信者是當代女作家，比如莎拉・菲爾丁（Sarah Fielding）、珍・克里爾（Jane Collier）、伊麗莎白・卡特和海絲特・夏博恩（Hester Chapone）。但迄今為止，理查森的女性「讀者兼書評家」（姑且如此稱之）中最重要的，是一位叫布萊德斯海夫人的讀者，她出身於一個地主家庭，命運幾經沉浮，在許多方面算是他的女性讀者的典型：受過零星的教育；沒有閒暇——她如此聲稱——接觸女性知識分子，這一點是她所屬階層的女性特點。

布萊德斯海夫人最早從一七四八年開始給理查森寫匿名信，以嬌喘連連的語氣描述自己到目前為止閱讀《克拉麗莎》（*Clarissa*）的造作經歷：

> 你要是見了我，我肯定會引起你的愛憐。我獨自一人，悲痛欲絕地放下這本書，又再捧起來，在房裡徘徊，任由淚水氾濫，擦乾了淚，再讀一遍，或許讀不到三行，就又拋下了書，喊道：對不起，好心的理查森先生，我讀不下去了；是你的錯——我承受不住你的文字；（我）癱倒在沙發上。

但是，如果我們對這種帶有指責的敘述照單全收，那我們就是天真的讀者了。在布萊德斯海和理查森的其他書信中，我們清楚意識到這位女讀者——以及其他女讀者——有自我低貶和誇大事實的傾向。在一封一七四九年給她的小說家偶像的信中，她形容自己「中年，中等身材，略豐滿一些，橡木壁板的褐色膚色，一臉土氣。」簡而言之，她是一個純樸的鄉下女人，這是她投射的角色定位。但是理查森非常重視她——尤其是她閱讀他的小說時的反應。他在自己的好朋友之間傳閱他們的大量書信，甚至考慮出版，聲稱其中一系列的魚雁往返是「關於《克拉麗莎》的歷史的最好評論」。

當時，像理查森和布萊德斯海這種作家和女性讀者之間的嬉鬧書信關係並不罕見，亞歷山大．波普也與許多女性讀者通信，許多人坦率讚揚或批評他的作品，特別是他對女主角和女性角色的刻劃。另一個重要的例子是亨利．菲爾丁的妹妹莎拉，她本身也是小說家，無疑是她哥哥最重要的參謀。她可能也寫過被認為是他的作品，在這個女性作家經常受到詆毀的時代，這也並不罕見。

有二十多年之久，強納森．史威夫特（Jonathan Swift）將他的讀者埃絲特．約翰遜（Esther Johnson，被稱為「史黛拉」）視為「他最寶貴的朋友」。在一七一〇年至一七一三年間，他寫了一系列著名的信件給她，後來集結成《給史黛拉的信》（*The Journal to Stella*，1784），由李察．薛瑞登（Richard Sheridan，1784）出版。這些信中，史威夫特明確承認了他對她的虧欠：他不斷詢問她對自己最新作品的印象。女性讀者對男性的寫作，在許多方面施加了巨大而直接的影響，而非如同有些人認為的那樣，只是易受影響的被動讀者，如無生命的海綿吸收她們所閱讀的內容。

許多十八世紀女性讀者找到了新的自信後，往往以各式各樣的方式加以掩飾，但免不了在初期就引起了男性的批評。比如沙夫茨伯里勳爵（Earl of Shaftesbury，1671–1713）這樣的人物，兼具官員、政客、哲學家和極具影響力作家的身分，就曾發出危言聳聽的警告。他竭力反對現代小說，尤其是因為它對女性讀者的可怕影響，他認為女性讀者閱讀時沒有絲毫批判。在他的作品《獨白，或是給一位作家的忠告》（*Soliloquy, or Advice to an Author*，1710），他批評當代作家為了贏得讀者，特別是女性讀者的青睞，無恥地用盡心機，大肆調戲。他以典型的生動散文，把他們的作品比喻為「有毒的真菌、誘導的蘑菇、花哨的衣服和花哨的小說」。把小說視為「有毒」的想法並不罕見，把小說說成是一種鼓勵欺騙的騙局也不新奇，根據這種看法，小說是謊言或偽裝，鼓勵讀者以不屬於他們社會群體的服裝和舉止來偽裝自己。簡而言之，小說鼓勵讀者演繹自己的謊言，小說將一些想法灌輸到女性讀者（以及那些沒有特權的人）的腦中，而這些想法超出了他們的身分地位。總之，小說絕非一種無害的逃避之道，反而是對現狀的一種威脅。

第五章

限制閱讀

焚書

審查、焚書和祕密閱讀凸顯了閱讀與權力之間的關係，也因此強調了限制閱讀與政治控制之間的關係。但從有閱讀以來，就有異議人士面對專制政權時拒絕放棄閱讀提供的思想自由，奧維德就是一個古代的例子。在基督教成為羅馬國教後，君士坦丁大帝（Emperor Constantine）審判亞流（Arius），尼西亞會議禁止他的教義，下令焚燒亞流派的書籍。納粹黨以焚書出名。一九四〇年，小說家E．M．福斯特（E. M. Forster）數度在廣播中反對納粹，其中一次將柏林焚書事件形容為納粹整個大計畫的象徵，說道：「納粹希望它象徵他們的文化觀，它也確實將會如此。事發於一九三三年五月十三日（原文如此），那天晚上，在柏林大學外，約四萬人親眼見證兩萬五千冊藏書被毀。多數人樂見大火燃燒，我們獲悉當時掌聲熱烈。」（見圖10）

一九四一年四月，一篇具有諷刺意味的《紐約時報》社論以焚書為論點，這篇文章值得詳細引用，因為它也是一份橫渡歷史長河的圖書銷毀紀錄：

儘管德國的戰爭機器在摧毀他人藏書方面有著良好的紀錄，但就永久的結果而言，它不能指望與這一領域的早期成就競爭。當阿拉伯人摧毀亞歷山卓圖書館，或者更早之前，哥特人和亂民洗劫羅馬帝國的文化中心，丟失的寶藏便永遠

圖 10　納粹焚書。（圖片來源：World History Archive/age fotostock.）

地丟失了。而在魯汶或華沙，書沒了，花錢再買新的就有了。

印刷藝術阻撓了希特勒對人類精神的計劃。希特勒上臺後不久扔到納粹篝火上的書，只是一個象徵性的姿態，這些書在德國境外還有很多冊，即使是第三帝國裡也藏著很多。希特勒剷除反納粹文化只剩唯一的希望，那就是訓練他所征服的人民的思想，借用他在東京的軸心國朋友們的說法，他的奴隸必須完全不受危險思想的影響。

焚書是殖民世界抗議文化壓迫的有效做法。亞歷山卓（又一次）的法魯克大學學子焚燒英語教科書，抗議英國統治。有些作家認為，作品被焚毀，如同獲得一枚榮譽勳章，證明了自己反抗壓迫的心願。有時，成為調查對象，亦是一種讚許。世界各地的穆斯林燒了薩爾曼．魯西迪的《撒旦詩篇》（*Satanic Verses*），《哈利．波特》系列小說在美國部分地區被焚，基本教義派基督徒聲稱這些書鼓勵巫術。近年，年輕女學生馬拉拉．尤沙夫賽（Malala Yousafzai）頭部中彈，竟是因為她在巴基斯坦塔利班控制地區讀書，在部落格上倡導女孩識字。女性異議人士經常組成書友會，在世界高壓政權試圖控制女性閱讀的地方，堅持不懈地閱讀。

二十世紀阿根廷作家豪爾赫．路易斯．波赫士（Jorge Luis Borges）提醒我們，十七世紀中葉英國內戰期間，有人認真建議焚毀倫敦塔的全部檔案內容，以抹去過去的每一段記憶，開創嶄新的生活方式。想防止某些書籍刊物被閱讀，焚書是最具戲劇效果、最蔚為奇景的手法。據稱在中國文化大革命期間，有數百萬冊珍本被毀，但它們不是被燒掉，而是打成紙漿回收再利用，用來印刷毛澤東的《紅寶書》，這樣的過程徹頭徹尾改變了一本書。另一方面，焚書往往是公開的場面，引發一個與「革新」和「淨化」有所聯想的徹底摧毀。

焚書歷史可能與識字本身一樣古老。在古典時期，圖書館的藏書和建築就曾遭到蓄意的焚毀，西元前二一三年，中國企圖摧毀儒家經典，留下了焚書的紀錄，只是這個企圖失敗了，因為儒生已經將經典牢記在心。西元六四二年，哈里發．奧馬爾（Caliph Omar）放火燒了亞歷山卓圖書館，這可能是杜撰的故事，但因為是一個具有象徵意義的歷史論述事件，所以具有焚書基礎神話的地位。故事是這樣的：亞歷山卓城陷落後，語法學家約翰（一個被免去聖職的神職人員）求見哈里發，索討圖書館中不需要的書籍，據稱奧馬爾的回答是這樣的：「關於你提到的書，如果其中所寫的內容與真主的書一致，那就不需要；如果與真主的書不一致，那就不受歡迎。因此，毀掉吧。」在一些記載中，這些書被搬去城市的公共浴場當燃料燒，燒了幾個月才燒完。在哈里發的眼中，書籍刊物是對基本信仰的不必要干擾，應當在熊熊大火中毀去。

專制政權、宗教當局、獨斷獨行的領袖和個人都曾燒過讀物。在近代早期的法國，焚書成了一種世俗而非宗教的風尚，伏爾泰的書在巴黎和日內瓦銷燬，從十七世紀中期到十八世紀晚期，大約有一千人因為參與圖書交易而被關入巴士底監獄。

在十六世紀初的英國，王室批准的焚書活動非常普遍，直到十七世紀，皇家焚書都還是公開的奇觀。推動宗教改革的神學家著作自然也無法倖免，馬丁・路德（Martin Luther）的作品於一五二一年在倫敦被燒，幾年後威廉・廷代爾（William Tyndale）的《新約》方言譯本也付之一炬。廷代爾本人被亨利八世（Henry VIII）判為異端，一五三六年死在火刑柱上。約翰・米爾頓（John Milton）將摧毀書刊與殺人之間建立了著名的關聯，在《論出版自由》（*Areopagitica*，1644）中寫道：「毀去一本好書，無異於殺死一個人。」米爾頓反對各種形式的審查制度，他認為一本壞書可能不過是「灰塵煤渣」，但不該被毀，因為它們可以「擦亮和照亮真理的武庫」，從那時起，許多人也抱著相同的主張。

很諷刺的是，燒書其實不容易。十九世紀藏書家約翰・伯頓・希爾（John Burton Hill）簡潔地解釋：

> 在焚毀異端書籍的時代，必須把它們堆放在大木臺上，但大費周章放火燒了之後，還能在灰燼中發現相當多的可讀書籍；因此有人認為熟悉大火和火之威力的魔鬼給了它們特殊的保護。到頭來活活燒死異端比

燒去他們的著作更省事，也更省錢。

在二十世紀，焚書在種族清洗中扮演了重要角色。一九九一年，塞爾維亞禁止使用阿爾巴尼亞語為教育語言，在二十世紀的最後十年裡，科索沃的阿爾巴尼亞語藏書遭到了計劃性焚燒，這又是一個焚書近似於毀滅一個民族的明顯例子。

焚書的這個層面——焚書似近毀滅一個民族——在第三帝國時期最引人注目。十九世紀德國作家海因里希．海涅（Heinrich Heine）在劇本《阿爾曼索爾》（*Almansor*，故事背景為宗教裁判初期的西班牙）中寫道：「凡是燒書的地方，很快就會燒起人來。」關於納粹焚書，經常引用他的這則預言。一九三三年五月十日，納粹在柏林歌劇院廣場展開「書籍大屠殺」（bibliocaust，《時代》雜誌的用詞），德國學生政治組織為活動策劃了數週之久，造了一座木架，高高堆滿了書。突擊隊（Sturmabteilung，簡稱ＳＡ）成員到場，軍樂隊提供了進一步的娛樂，數千名學生高舉火炬進入廣場。書堆著火時，宣傳部長約瑟夫．戈培爾（Joseph Goebbels）發表了他的「火咒」（Feuersprüche，或「火誓」），說來有趣，他也做過小說家的夢。他宣稱：「新帝國的鳳凰將從灰燼中升起。」他說這些付諸火海的書冊傳遞和平主義、失敗主義和非德國主義的觀點，兩萬冊「令人反感」的書籍毀了，猶太作家、馬克思主義者、共產主義者、「頹廢主義者」或人文主義者所寫的書，就這麼在隆重的儀式中給燒了。這些大火成為殘暴納粹政權的象徵。之後，希特勒青年團（納粹青年組織）在德國各地大學城組織類似的活動。

一九三三年十二月，一小群反對焚書的人齊聚一堂，討論在巴黎成立一個反法西斯的檔案館和圖書館：「燒毀之書圖書館」。德國流亡作家萊昂・弗烏希特溫格（Lion Feuchtwanger）、英國作家赫伯特・喬治・威爾斯（H. G. Wells）、法國諾貝爾文學獎得主羅曼・羅蘭（Romain Rolland）等著名作家組成國際委員會，由羅蘭擔任榮譽主席，他公開反對納粹政權，所以他的一本著作也遭到焚燒。圖書館於一九三四年在巴黎阿拉格大道開放。倫敦也成立一個燒毀之書圖書館之友協會，同年紐約開設一個類似的圖書館，即美國納粹焚書圖書館，正式開幕時，主講人是阿爾伯特．愛因斯坦（Albert Einstein），巴黎圖書館提供一份書單，列出五百種圖書。一九三五年，巴黎舉行圖書館成立一週年慶祝活動，最重要的演講之一是德國作家托瑪斯．曼（Thomas Mann）的演講。歷史學家馬修．費許本（Matthew Fishburn）寫得很好：「他的演講深入（焚書）奇觀背後，證明了分散注意力的權術結合新聞的嚴厲控制是有效的，迫使德國公眾放棄對『真實情況』的任何了解，因為真正的批評條件已經消失了。」

毀書常常等同於抹去記憶、湮滅文明、重構歷史，但即使在古代世界，也有一些人感受到過去著作的沉重壓力。塞內卡並沒有哀嘆亞歷山卓圖書館被摧毀，亞歷山大．波普和尚—雅克．盧梭（Jean-Jacques Rousseau）也沒有。特別是在歐洲啟蒙運動期間，想要囤積過去的人和想要擺脫過去令人窒息的影響的人之間，開始出現了一種緊張關係。

宗教裁判所

宗教裁判所是羅馬天主教會的內部組織，自稱提供一個譴責異端的法律體系，它源自十二世紀法國，成立宗旨是根除宗教宗派主義，卡特里派（Cathars，又稱「純潔派」）和瓦勒度派（Waldensians）是初期遭到審判的團體。十六世紀，面對新教改革和天主教反改革，更多地區以設立宗教裁判所作為回應，它從法國傳播到西班牙和葡萄牙，以及西葡在美洲、非洲和亞洲的海外帝國，比如在祕魯和墨西哥就有重要的宗教裁判所。伊比利宗教裁判所的目的，是在猶太教和伊斯蘭教改宗的人中找出異教徒加以審判（在法律上，被迫違背一己的意願放棄猶太教的猶太人被稱為 Anusim）。

比起歐洲其他地方，這兩個少數族群在伊比利地區人數較多。雖然宗教裁判所在美洲殖民地以暴虐方式實施審查制度，但比不上西班牙侵略者對馬雅人獨特文學的破壞。十六世紀，西班牙人焚燒馬雅手抄本，這是對一個民族和他們的文化遺產犯下的最嚴重犯罪，也是世界文學和語言遺產的巨大重要損失。馬雅人是中美洲的原住民，分布在墨西哥、瓜地馬拉、貝里斯、薩爾瓦多和洪都拉斯等地區。

拿破崙戰爭和美洲獨立戰爭之後，歐洲的宗教裁判所畫下句點，但在教皇國中仍舊存在，一九〇八年改名為至聖聖部，一九六五年又易名為信仰教理部，簡稱信理部（CDF）。信理部偶爾會公布其判斷有違教會教義的天主教神學家的著作。伽利略受到宗教裁判所的審判，激發了一個對來世的非凡想像，在教會法或普通法的歷史上，沒有任何一宗審理程序像伽利略的那樣，被重新賦予了許多的意義、影響和臆測。

一六三三年宗教裁判所審判伽利略，主要的事實一般都知道。一六三二年，伽利略發表《關於托勒密和哥白尼兩大世界體系的對話》（*Dialogue on the Two Chief World Systems, Ptolemaic and Copernican*），在哥白尼體系中，地球和其他行星圍繞太陽運行，而在托勒密體系中，宇宙中的一切則是圍繞地球運行。教皇烏爾班八世（Pope Urban VIII）不喜歡這本著作，認為伽利略對地球運行的討論不但「有待證實」，而且「武斷」。此外，烏爾班還聲稱，伽利略沒有適當地重視一個重要的反哥白尼意見：上帝無所不能，無所不知，因此可以創造出一個非哥白尼式的宇宙。烏爾班不顧相關的支持論據，堅持認為哥白尼主義絕對不能宣布為絕對真理。

一六二四年，烏爾班和伽利略就這些問題進行了辯論，最後烏爾班禁止伽利略以口頭或書面形式繼續推廣他的思想。這場審判有許多令人好奇之處，其一是這些早期事件幾乎沒有公開，一六三三年六月二十日的判決主要依據是，該書違反了一六一六年的三項強制規定，當年的「禁書審定院」裁定哥白尼主義是錯誤的，與聖經不符。哥白尼的著作全部遭禁，伽利略也被要求停止所有關於哥白尼學說的研究工作。禁令還要求伽利略不能相信、不能辯護、不能傳授任何有關地球運轉的方式——這一點引起質疑。宗教裁判所主張伽利略是異端，指控他「支持並相信一種與造物主及神聖聖經背道而馳的錯誤學說……地球在運動，不是世界的中心，認為一個觀點被宣布確認違反聖經後，人也照樣可以抱持該觀點為其辯護。」

根據定義，宗教裁判所是神學程序，也是法律程序，更是譴責大量書籍及其作者的手段，目的是防止民眾閱讀被認為有違聖經的作品。

而從更廣泛的意義來說，除羅馬天主教以外，其他宗教也有過宗教裁判所，而且現在還在繼續執行。比方說，天主教會的宗教裁判所與伊朗伊斯蘭共和國的伊斯蘭指導部，分別有著截然不同的歷史和文化，但我們不妨比較看看。兩者都採取了惡毒言辭和極端主義，伊朗的現代史是一段相對自由的時期，隨之而來的是狂熱的鉗制鎮壓。一九八八年，伊朗的極端分子開始譴責反對他們自身傳統保守信仰的人，革命法庭允許審判被認為以任何方式反伊斯蘭或不道德的人，審決以死刑居多。甚至在今日，伊朗當局在伊朗伊斯蘭共和國內外都在施展勢力，伊朗精神領袖何梅尼（Ayatollah Ruhollah Khomeini）禁止薩爾曼・魯西迪的《撒旦詩篇》，就是一個相對近期而且引人注目的例子。何梅尼對作者和出版者（包括譯者群）發出了追殺令，一九九一年七月，該書日語譯者被刺死，同年同月，義大利語譯者也被刺殺（但倖存下來）。一九九三年十月，魯西迪的挪威出版商成為暗殺行動的目標，死裡逃生。在土耳其，一起攻擊譯者的行動，奪走了三十七條生命。

他們還建立類似正式審訊的非正式程序，審判書籍和書籍作者。二〇〇三年，阿颯兒．納菲西（Azar Nafisi）出版《在德黑蘭讀羅莉塔》（*Reading Lolita in Tehran: A Memoir in Books*），描述自己在伊朗伊斯蘭共和國的生活，特別是她辭去了大學的職務，決定邀請七個學生到家裡一起閱讀西方和波斯文學的偉大作品。文學為他們提供了一個虛構的世界，他們可以逃進這個世界，「隱藏」自己，從被伊斯蘭政權奪走的現實中解放出來。納菲西也描寫了政治動盪時期在阿拉梅塔巴塔拜大學擔任教授的生活，她所選擇的教學內容，成了反對傳授所謂頹廢舶來品（如西方文學）的伊斯蘭主義者的戰場。

在她的書中，史考特．費茲傑羅（Scott Fitzgerald）的《大亨小傳》（*The Great Gatsby*）是一個模擬裁判所的審判對象。審判指定一名檢察官和一名辯護人，她要求伊斯蘭教學生提出理由，說明為什麼這部小說不應該成為調查對象。《大亨小傳》的主人翁蓋茨比在試圖重新想像自己的過去時毀了自己，這與伊斯蘭政權有著驚人的相似之處，伊斯蘭政權是一個由什葉派領袖組成的集團，他們強制實現所謂集體過去的夢想，扼殺當下的生活。納菲西的一個學生——尼亞紀先生——私下客氣地警告她，「為了她自己好」，別教《大亨小傳》了。尼亞紀先生反對小說中的愛情情節，認為「我們現在沒有時間談戀愛，我們追求的是一種更高尚、更神聖的愛」，他指的是神化什葉派領袖。正是尼亞紀先生的這些評論，納菲西將《大亨小傳》及作者送上法庭，由尼亞紀先生擔任檢察官，莎琳擔任辯護律師，另一名男學生擔任法官，其餘同學則是陪審團。激烈的庭審後，尼亞紀先生輸給了理性的、更有智慧的莎琳。

J．K．羅琳（J. K. Rowling）和她的筆下人物哈利．波特也受到宗教裁判，被控為異端。羅琳的批評者經常引用《申命記》（18:9-12）：「你到了耶和華你神所賜之地，那些國民所行可憎惡的事，你不可學著行。你們中間不可有人使兒女經火，也不可有占卜的、觀兆的、用法術的、行邪術的、用迷術的、交鬼的、行巫術的、過陰的。凡行這些事的都為耶和華所憎惡。」有兩位作家總結了爭論的兩方觀點，分別是以右翼觀點著稱的美國記者理查・阿邦尼斯（Richard Abanes）和美國小說家內森・希爾（Nathan Hill）。在《哈利・波特與聖經》（*Harry Potter and the Bible*）中，阿邦尼斯指出J・K・羅琳的世界不符合基督教「道德」，她的小說提倡違反聖經的價值觀與不道德的行為。他的大致立場是，「在羅琳的奇幻故事中，寬容來說，道德和倫理含混不清，嚴格來說，則是明顯違反了聖經。」希爾以〈哈利・波特和其他罪惡，或如何從右翼閱讀〉（Harry Potter and Other Evils, or How to Read from the Right）一文完全反對上述觀點，認為阿邦尼斯誤解了閱讀理解小說的方式。羅琳和哈利・波特在美國各地持續受到審判，起碼由於阿邦尼斯提出的許多原因，這一系列小說成了基督教基本教義派焚燒的對象。

禁書目錄

羅馬天主教會最初的禁書目錄（Index）表面目的是防止人們的神學信仰敗壞，在歐洲中世紀這包括了所謂的顛覆性科學和哲學思想。但禁書目錄也有一種奇妙的諷刺意味，因為目錄可以試圖禁止某些類型的閱讀，又可以幫助讀者辨別某些與當局或權威的信仰或野心相悖的讀物，不論是羅馬天主教會、納粹黨，還是南非的極右派。研究閱讀的史學家對禁書目錄也特別感興趣。

九世紀的《吉拉修文告集》（*Decretum Gelasianum*）可能是最早的禁書目錄，一般認為出自教宗哲拉旭一世（Pope Gelasius I）之手，但官方從未正式承認。一五五九年，羅馬天主教會公布《禁書目錄》（*Index auctorum et librorum prohibitorum*），由教宗保祿四世（Pope Paul IV）頒布，又稱「保祿目錄」，其後又公布了一連串的禁書名單。特立騰會議（今日義大利北部的特倫托）批准的

「特立騰目錄」取代了「保祿目錄」，有人爭論說這是不必要的限制，教會於是出現分裂。

一五六四年，教會公布一份修訂過的新目錄，同時對如何正確閱讀聖經做了一段影響深遠的說明：「在信仰和道德的問題上，任何人都不能依靠自己的技能……按照自己的感覺竄改神聖的經文，貿然解釋神聖的經文，違背神聖的母教會所堅持的意義；甚至違背教父們的共識。神聖經文的真正意義和解釋應交由母教會來判斷。」這段文字對閱讀具有深遠的意義，對女性閱讀影響更大，因為她們沒有機會以學者或神職人員身分進入教會。這段說明也抵制所有閱讀的詮釋，限制讀者只能認識教會機構所認定的聖經「真正意義」。羅馬天主教的禁書目錄也列出被認為是異端、反教會或不道德的禁止閱讀材料，共有二十份目錄，最後一份在一九四八年公布，一九六六年由教宗保祿六世（Pope Paul VI）廢除。

編纂禁書目錄也能當作抗議和紀念的行為。一九五〇至一九九四年，南非實施種族隔離制度，藐視審查制度會遭受酷刑，甚至有殺身之禍。一九九六年，南非雅各布森出版社出版了遭到審查的詳盡書目資料——《雅各布森的異議文學作品索引》（*Jacobsen's Index of Objectionable Literature*）——記錄下種族隔離制度的罪行。種族隔離制度的主要目的是防止「非洲民族議會」（African National Congress，一個議會之外的黑人解放組織）散播支持組織理想、反對執政黨的價值觀和野心的題材，但與世上其他壓迫性政權一樣，他們也試圖抹去公眾的記憶，影響到南非生活的各個層面。當局實施審查制度的範圍超越了出版品，連非洲民族議會的標誌——無論是印在T恤、打火機還是紐扣上——都不放過。

隸屬於美國圖書館協會（American Library Association，ALA）的「知識自由辦公室」（Office of Intellectual Freedom）定期公布一種截然不同的目錄，他們以數據呈現美國各州公共和校園圖書館的審查——定期公布大眾要求禁止的書目。平均而言，每天有超過一本書面臨從美國學校或圖書館下架的命運，目前經常受到質疑或禁止的有克里斯・克魯徹（Chris Crutcher）、羅比・哈里斯（Robie Harris）、卡洛琳・馬克樂（Carolyn Mackler）、菲利斯・雷諾茲・內勒

（Phyllis Reynolds Naylor）、瑪麗蓮・雷諾茲（Marilyn Reynolds）、桑尼亞・珊斯（Sonya Sones）、賈斯汀・理查森（Justin Richardson）和彼得・帕內爾（Peter Parnell）等人的作品。

一九四七年，柏林舉辦「自由書籍日」活動，徹底批評納粹禁書目錄。正是在同一個地點，戈培爾曾於焚書儀式上發表激昂的演說，表示新秩序的鳳凰將從焚書的灰燼中升起。推動此次活動的是阿爾弗雷德・康托洛維奇（Alfred Kantorowicz），他持續不倦反對納粹焚書，意圖將德國四個被不同戰勝國占領的地區團結在一起，這場活動讚頌的是言論自由。康托洛維奇還為活動製作一本小冊子，幾天後美國人允許他出版他的文集《被禁和被焚》（*Verboten und Verbrannt*）。然而，占領國之間的競爭仍舊繼續，蘇聯占領區繼續沒收目錄上的書籍。一九四七年底，《紐約時報》報導說，美國對美國占領區出版業的資助已經下降到「蘇聯報章淹沒美國區」的程度，軍政府的回應是，撥出四百萬美元購買紙張，大部分用於印刷教科書。書刊再次被當成了政治宣傳。

審查制度

只有知道如何閱讀，我們才能閱讀——這是一個不爭的事實。在十八世紀晚期美國南部各州，法律嚴格禁止黑人（無論是奴隸還是自由人）學習認字或寫作，這種情況基本上維持到南方一八六五年輸掉內戰為止。近五十年，識字率穩步提高，但根據聯合國教科文組織統計研究所提出的數據，世界仍有七億五千八百萬名成人是文盲，大多數是女性，這其實如同全面審查制度最極端的表現形式，因為很大一部分人由於無法獲得資訊而處於劣勢。在閱讀史上，有很長一段時間，審查制度也是阻止某些讀者閱讀某類內容的強大因素。

在反對審查制度運動人士中，南非出生的作家柯慈（J. M. Coetzee）最發人深省。他在《冒犯》（*Giving Offense*）一書中寫道：

> 宣布禁令的人……實際上成了瞎子，在擂臺中央玩著捉迷藏遊戲。

有一段時間，他的命運就是跌跌撞撞，變成一個人人嘲笑人人閃避的傻瓜，直到他的標誌——提升他也使他喪失能力的眼罩——傳給了另一個人。如果遊戲的精神、這孩子的本意是統治，那麼審查者就必須接受伴隨蒙昧王權而來的小丑身分。如果拒絕扮演小丑的審查者扯下眼罩，譴責懲罰觀眾的笑聲，那就沒有在玩遊戲。他是一個傻瓜，因為他不知道自己是一個傻瓜，因為他認為在擂臺的中心他就是國王。

在二十世紀上半葉的美國和英國，小說和詩歌對性、性行為以及排泄物的描述都受到嚴格審查。另一方面，作家努力在處理人類經驗的部分推倒界限，由此引發幾起著名的起訴——勞倫斯（D. H. Lawrence）的《彩虹》（*Rainbow*），詹姆斯・喬伊斯（James Joyce）的《尤利西斯》（*Ulysses*）。無數的文學作品在出版前經過編輯修改，二十世紀的前四十年是文學審查制度最嚴厲的時期之一，但也是在這一時期，作家激烈抵抗國家控制讀者閱讀內容的權利，而且取得了很大的成功。

審查制度最盛行的時候，莫過於國家與敵國交戰或發生內戰之際。報紙往往面臨抉擇：要麼只報導千挑百選後的新聞，否則就是完全停刊。媒體可能會被國家的新統治者接管，被迫成為當權者的喉舌。在第二次世界大戰之前的幾年裡，德國、義大利、西班牙和葡萄牙的新聞機構都受到嚴格的法西斯審查。蘇聯的審查制度也同樣嚴厲。當戰爭爆發後，每一個參戰的國家都建立了審查制度，美國戰爭情報局和英國資訊部在國內審查新聞內容，發布宣傳報導。軍事獨裁政權則試圖誇大敵人的罪行和一己政權的正當性。

二十世紀軍事獨裁者催生的嚴格新聞審查中，受害最深的例子有西班牙（一九三六年至一九三九年的西班牙內戰，政權從一九三六年持續到一九七五年）、希臘（一九六七年至一九七四年）、智利（一九七三年至一九九〇年）和奈及利亞（一九六六年至一九六九年）。不顧國際社會無數次的懇求，土耳其在一九九一年通過《反恐怖法》，以確保國家安全為藉口，對付「內部敵人」——少數民族庫德族。

審查制度的理由有很多：害怕不當的知識進入公共領域會危及國家安全；政治上的權宜之計；指控淫穢，如D．H．勞倫斯的《查泰萊夫人的情人》（*Lady Chatterley's Lover*）；褻瀆，如伽利略和J．K．羅琳的例子；保護兒童的需要（路易斯．卡羅的《愛麗絲夢遊仙境》曾在美國和中國被禁）。但這些都不是清楚明確的類別。

殖民政府，如十八世紀的沙皇俄國和英國，嚴格控制政治出版品，比如俄國在波羅的海，英國在澳大利亞、加拿大、印度和非洲，審查可能鼓勵顛覆性的思想和行為。澳大利亞全面審查制度持續到一九二三年為止。南非在一九二八年通過一項新聞法，確保了些許的出版自由，但南非後來的種族分裂政治嚴重限制了新聞自由，直到二十世紀最末十年，南非種族隔離時代的全面控制才廢止。

二〇一一年八月，伊朗發生一起引人注目的國家審查案例。伊斯蘭文化和指導部是負責監督文學出版物和再版的政府部門，它拒絕批准尼札米．岡亞維（Nezami Ganjav）的十二世紀史詩《科斯羅和希林》（*Khosrow and Shirin*）的新版本。這部經典愛情故事提到了飲酒、未婚男女在無人陪伴下互訪，審查人員對此表示異議，但最讓他們震驚的是，女主角擁抱一具男屍——她死去的丈夫。該國當今重量級詩人西敏·貝爾巴哈尼（Simin Behbahani）寫道：「在這個國家，他們會把一個可憐的男童帶去監獄性侵……那些有辦法性侵如此無辜脆弱的小生命的人，也認為擁抱一具屍體會獲得愉悅嗎？」

在中華人民共和國，執政的共產黨掌控著審查制度，政府的姿態是，它擁有控制紙本和電子出版物的合法權利，主張法律沒有牴觸個人言論自由權。許多反對不必要的普遍審查和爭取言論自由的組織，比如開放網路促進會（The OpenNet Initiative）、無國界記者（Reporters without Borders）和自由之家（Freedom House），多次將中國在審查問題上的立場評為世界最後幾名。

一般認為獨裁政權會嚴格控制媒體，但像是審查官方數據的「看門狗新聞」（watchdog journalism），因為提供可以改善治理的資訊，也能用來加強控制，但需要謹慎保持平衡，如果民眾普遍不滿，不滿的程度也眾所皆知，可能會導致民眾集結起義。無論有多少政權試圖審查資訊和其他形式的書刊，總是有可能出現反作用力，作家手稿就經常被偷送到境外印刷，鮑里斯．巴斯特納克（Boris Pasternak）的小說《齊瓦哥醫生》（*Doctor Zhivago*，1957）以一九〇五年俄國革命和第二次世界大戰為背景，就在一九五七年偷送到米蘭出版，透過美國中央情報局的幫助，分送到歐洲其他地方。這是一個「地下出版」（Samizdat）的例子，這個俄語指的是在國外出版的文學作品，通常來自私運的手稿，也可以指在史達林之後蘇聯集團內知識分子之間傳播的異己資料。

受到審查的外國文學作品經過翻譯，可以提供東歐集團國家的讀者閱讀。蘇聯和納粹時期都有許多祕密的出版活動，反擊統治者的宣傳運動和抹殺歷史的企圖。審查制度也是慈善機構和非政府組織監督以及宣傳的主題。英國的「查禁目錄」（Index on Censorship）已成為一個促進言論自由的全球性組織。更令人驚訝的是，「反審查女性主義者」（Feminists Against Censorship）在一九八九年成立，為的是回應「全國公民自由委員會」（National Council of Civil Liberties）對色情書刊的譴責。任何阻止讀者閱讀某種資料的企圖，一律會遇到許多形式的抵制。

無形的審查

我們所讀的大部分內容都被編輯過，但我們不知道我們讀到的東西怎麼被改變。閱讀素材，無論是印刷品還是數位形式，都可以透過各種方式變得無法取得。大多數實例是公開的，留下了歷史紀錄，但還有一些更微妙、更隱蔽的審查形式，幾乎不可能記錄下來。自我審查在媒體出版界很常見，《新聞週刊》（*Newsweek*）專欄作家強納森．奧爾特（Jonathan Alter）說：「在緊張的就業市場中，人往往會避免讓自己或老闆陷入麻煩，於是刪去一個形容詞，略過一則故事，報導有所保留……就像夏洛克．福爾摩斯故事中那隻沒有吠叫的狗，這類線索很難發現。」非營利組織「媒體訪問專案」（Media Access Project）負責人指出，自我審查不是誤報或假報，而是根本不報。有人認為，自我審查並不是「明顯陰謀」的產物，只是作家眾多日常的小小決定累積到了頂點，記者希望保住飯碗，編輯則承受著支持報社或其他媒體利益的壓力。在一項調查中，百分之四十的記者和新聞高階主管說，他們曾經故意進行自我審查，避免他們認為「不合適」的新聞報導，或者出於某原因而軟化行文的語氣。

我們也都在進行自我審查，因為閱讀素材多如繁星，而我們會基於某個原因決定不讀。當然，在公共知識方面，我們有理由支持某種控制。在《禁忌知識》（*Forbidden Knowledge*）中，羅傑．夏塔克（Roger Shattuck）討論了限制和禁忌全面消失的後果，寫道：「所有思想的……知識開放和自由流通之原則，在西方已根深蒂固，因此這方面的任何保留通常被視為政治上和思想上的反動。」夏塔克的興趣是探索某些特定的問題，而非提供武斷的答案：「我們能否確認有任何形式的知識，無論是真或假，出於某種原因，我們不應該知道？是否有任何已有的或假設的知識，擁有這些知識的本身就被認為是邪惡的？」當新科技讓我們能夠獲得越來越多的資訊，「我們是否應該能更自由閱讀任何東西？」還能被認為是一個狹隘或偏執的問題嗎？

第六章

理解閱讀內容

詮釋

閱讀是一種詮釋行為，當涉及到我們認為較為複雜的寫作時，比如宗教經文、哲學文本、法律文件或文學作品，詮釋並不容易，即便是最簡單的語言，也還是需要解釋。比方說，開車時看到一個標誌，上頭寫著「Heavy Plant Crossing」（前有重型施工機械），這則小小的訊息需要細細思考：我們必須知道 plant 在這裡不是指長在土壤、水中或其他植物之上的生物，而是用於修路等的重型大機器或車輛。我們預計會看到大卡車和運土車，而不是什麼恐怖的巨型植物。

詮釋學（Hermeneutics）是一門研究詮釋理論和方法的學科，字根源自希臘語 ἑρμηνεύω（hermēneúō），意思很簡單，就是「翻譯、詮釋」。這門學科的發展對於閱讀的歷史非常重要，凸顯在不同時空理解閱讀有著無數的方式。在希臘和羅馬等古文化中，文明本身被認為仰賴關鍵「權威」或「基礎」著作（宗教、哲學和文學）的保存、解釋和交流。

古人的世界觀是一種整體的世界觀，馬可．奧里略（Marcus Aurelius，121–180 CE）有一段話就是最好的例證，他寫道：「萬物相互牽連，這種聯繫是神聖的；幾乎沒有什麼東西與其他東西無關，因為事物已經協調好了，它們結合起來形成一個宇宙。由於有一個萬物組成的宇宙，有一個貫穿萬物的神，一個物質，一個法則，一個所有智能動物中的共同理性，一個真理；如果所有的動物都有一種完美的話，那就是屬於同一個種群，參與同一個理性。」無論是從經驗、思考、交談、傾聽還是閱讀，我們所學到的一切都被聯繫成一個連貫的整體。閱讀主要是建立聯繫，收穫知識累積知識，而不是一個在虛假中辨別真理的批判過程。在希臘—猶太—基督教的傳統中，有很長一段時間裡，科學和宗教都源自兩本「聖書」，兩本都是上帝所寫的，那就是聖經和大自然之書。

「聖書」，從字面和隱喻上都可以理解，是許多宗教的核心，較為現代的教派也不例外，比如約瑟夫．史密斯（Joseph Smith）受到啟發所翻譯的摩門教《摩門經》（1830），它代表摩門教徒的「聖經」，約有五百頁，從未絕版，已翻譯成一百多種語言，第一億冊在二〇〇〇年出版。在亞伯拉罕諸教中（猶太教、基督教和伊斯蘭教），「聖書」和如何解讀「聖書」是信仰核心，這類信仰依賴於對宗教歸屬的理解，並以神聖文本中所寫的神授啟示為基礎來生活。然而，如果是這樣的話，這與詮釋學有什麼關係呢？如果上帝直接向先知或使徒口授，那麼詮釋又有什麼必要呢？這就是宗教基本上粗略分為基本教義派和自由派的關鍵。猶太傳統主義者認為，希伯來聖經（《托拉》或《五經》）是上帝直接對摩西口述，但這並不代表所有傳統猶太學者都否認解釋的必要。同樣，在穆斯林宗教中，《古蘭經》明確被描述為真主直接口授，但根據自由派穆斯林學者的解釋，他們閱讀《古蘭經》時不受宗教權威和既定的閱讀傳統所約束。

相較於印度教（梵語）、伊斯蘭教（阿拉伯語）、猶太教（希伯來語），閱讀和佛教傳統之間有著截然不同的關係（基督教也是如此），佛教（和基督教）

歷史縱橫交錯，涉及多種語言，佛教的生命在文化和地理上都是分散的，在歷史上，包含了多種語言，例如巴利語、藏語、梵語、漢語、韓語和日語。佛教也沒有一部包含宗教基本信條的主要經文，我們今天所知道的佛教，是一個不同哲學和思想流派的集合，從早期佛教流派之一的多聞部，到起源於中國唐朝的大乘佛教的著名分支禪宗。

佛教與其他宗教更進一步的差別，在於閱讀與宗教信仰之間的獨特關係。「公案」是一個重要的例子。公案是類似於謎語的問題，有時問題自相矛盾，能夠激發悟性。找出單隻手拍手的聲音就是一則著名的公案故事。「答案」不是經由分析推理而得出，要得出公案答案，得放棄理性，支持直覺。第一本彙集公案的作品在西元十一世紀出現，是臨濟宗最受歡迎的教材。

同樣，禪宗的真理也不能靠著閱讀特定文本來學習。佛教與閱讀的關係處於冥想的極端，是一種自由、互動和內在反思的練習。詮釋學，或解釋的科學，在某些佛教閱讀慣例中遇到了最嚴峻的挑戰。

另一方面，在西方哲學中，詮釋學可以更廣泛定義為對人類理解的研究。新興的數位技術大幅增加我們收集知識的方式，也在許多方面改變了收集知識的方式，這種閱讀方式的變化在人類歷史上前所未有。網路是有史以來為傳播教育所發明的最強大、最多樣化的工具，然而閱讀不再主要發生在一個團體——提供書籍的家庭、學校或地方圖書館等等，這一事實造成一些人認為的知識危機。「資訊娛樂高速公路」提供了獲取資料的途徑，這些資料不容易分辨是真或假；換言之，危險了，我們不再完全知道我們正讀到什麼。這是詮釋學的必要條件：有脈絡，才可能有明智或實用的解釋。

修辭

閱讀與寫作密不可分，而寫作又與演說及修辭息息相關。演說，以及任何寫出來的東西，都是有目的的，因此修辭學和閱讀之間存在一種密切而迷人的關係。柏拉圖給修辭學下過一個著名的定義：「令靈魂陶醉的藝術。」這個神奇或迷惑的想法解釋了經常與修辭連繫在一起的懷疑，今日修辭大多被當成是一個批評性術語，涉及了政治欺騙和空洞承諾，貶義意味著使用雄辯、優雅或華麗的詞藻，只求說服聽眾，不考慮事實。用作貶義，它是一種以做作、不真誠或浮誇表達為特徵的語言。雖然這個貶損的意思在十六世紀才進入語言，對於修辭學的懷疑其實有著更漫長的歷史。在西元前五世紀和前四世紀的雅典，以及一世紀的羅馬，首次有人提出將有說服力的語言編纂成「藝術」的想法。西塞羅（Cicero）的《論發明》（*On Invention*，84 BCE）是一本演說家手冊，最初由四本書組成，但只有兩本書流傳至今。西塞羅對於言辭的潛在風險不無批判，而且他認為這門學科與文明的起源同時發生。

修辭在某種程度上就是辯論，它的正當性從一開始就引起了爭議。這場爭論的核心問題很簡單，修辭是達到目的的手段，目的是知識，還是僅僅是一種藝術或一種技巧，無論真相如何，都要成功說服他人。身為現代讀者，特別是媒體和政治著作的讀者，我們經常被驅使思考同樣的問題。這在二〇一六年到達了一個轉折點，經過一番爭論後，《牛津英語詞典》宣布「後真相」（post-truth）為年度詞彙，定義為：「訴諸情感及個人信念，比陳述客觀事實更能影響輿論的情況。」而這類的手段要能成功，仰賴於對語言或修辭的嫻熟運用，因為作家的修辭策略大幅控制了讀者的注意力。

翻譯

閱讀和翻譯之間的關係複雜多樣，最顯而易見的關係是，翻譯可以為不了解原文語言的讀者提供閱讀素材。翻譯與文學本身一樣古老，從西元前二千年開始，蘇美爾人的《吉爾伽美什史詩》就零零星星翻譯成西南亞的語言。但閱讀譯文能有幾分類似於閱讀原文的體驗？這顯然值得懷疑。一篇文章所形成的文化和語言環境，從根本上影響了讀者的閱讀。

翻譯對世界宗教的傳播至關重要，反過來對有組織的宗教也構成了挑戰。傳教士將基督教的「聖靈」譯為非洲本土語言時，這個概念必然被「歸化」，在非洲信徒相當不同的精神世界中獲得一種虛假的熟悉感。能否翻譯，必定與文化重疊或文化距離的程度密切相關，在一個日益全球化的世界中，最多人以英語為第二語言，我們需要當心，不要因為簡化翻譯而簡化了文化差異和豐富，否則我們在翻譯文字中讀到的易懂與熟悉，很多會是假的。

政治翻譯運動可能是一種有計畫的企圖，以提供特定社會中當局試圖審查的閱讀材料。在中東，穆斯林神職人員幾個世紀以來一直強烈反對印刷術，因為它有能力傳播新思想和潛在的顛覆性知識，但他們在十九世紀失去了對出版業的控制。以埃及為例，從一八八〇年到一九〇八年，出現了六百多種報紙和期刊，最成功的是《文摘》（*al-Muqtataf*），這是一份與翻譯運動密切相關的雜誌，為中東讀者提供歐洲啟蒙運動的各種經典著作，包括孟德斯鳩（Montesquieu）的《羅馬盛衰原因論》（*Considerations on the Romans*）、範納隆（Fénelon）的《泰萊瑪科斯》（*Télémachus*）。孟德斯鳩是十八世紀的法國政治哲學家，他在《羅馬盛衰原因論》中提出一個論點：財富和擴張主義的軍事野心非但沒有導致羅馬的崛起，反而還削弱了羅馬的公民責任感，進而又導致了羅馬的衰落。對於十九世紀的埃及讀者，這具有相當的啟示意義。範納隆的《泰萊瑪科斯》也是一部教誨作品，故事主角曼托爾主張建立一種新政治制度，按照民主路線組織國家政府，在國際上建立「國家聯盟」解決國際爭端。說來有些過分簡化，範納隆拿羅馬的富裕好戰與希臘人較強烈的平等意識做對比。在個人道德方面，曼托爾反對追求財富和自我利益的野心，這種野心最終會弄巧成拙，他支持的是對他人的關心。在十九世紀後期的中東，這些譯為中東語言的思想具有革命性意義。

女性往往是無法以原文閱讀的譯作的幸運讀者。在十七世紀，露西・哈欽森（Lucy Hutchinson）翻譯羅馬詩人和哲學家盧克萊修（Lucretius）的作品就是一個著名的早期例子。她在一六七五年翻譯《物性論》（*De rerum natura*），這篇西元前一世紀的說教詩為羅馬讀者解釋了伊比鳩魯派的哲學。最重要的是，盧克萊修探討了原子論（思想和靈魂的本質），以及世界和宇宙的起源，認為世界是由物理原理控制，由fortuna（命運）引導，沒有傳說中羅馬眾神的干預。盧克萊修強調追求快樂，這一點受到十七世紀清教徒的譴責，而一個女子承擔翻譯工作自然引人側目。

在十八世紀的歐洲，大量拉丁作品譯為方言，婦女因而獲益匪淺。牧師之女伊麗莎白·卡特受過高等教育，著手翻譯她認為不懂古典文學或歐洲語言的女性讀者應該讀到的作品。她最暢銷的翻譯作品包括《寫給女性的牛頓主義》（1737；參見第四章），原作者為弗朗切斯科·阿爾加洛蒂。

翻譯過程引發各式各樣的理論問題。古希臘人討論直譯（metaphrastic）和意譯（paraphrastic）的問題，這兩個概念繼續主導著翻譯理論。在西元一世紀的羅馬，西塞羅和賀拉斯（Horace）最早批評逐字逐句的翻譯方法，許多論點認為「真正的翻譯」是不可能的。十三世紀英國知識分子羅傑·培根（Roger Bacon）認為，要使譯文真實，譯者必須對翻譯的原文和翻譯成的語言都有深刻的了解。此外根據培根的論點，譯者必須充分理解文本所討論的學科，有鑑於此，這樣的知識分子幾乎不存在，他呼籲廢止所有的翻譯。法國作家、政治家和外交家弗朗索瓦—勒內·德·夏多布里昂（François-René de Chateaubriand）通常被認為是法國浪漫主義的奠基人，他主張文學不可能翻譯：

> 文學是有生命的，除了那些用自己的語言寫成的作品，沒有人會是合格的裁判。你徒然相信自己出於本能能夠掌握一個外國的成語，別人的母乳……越是親密、個人、民族的天賦，其神祕之處就越會讓那些不是這種天賦的同胞頭腦難以捉摸……風格不像思想是四海一家：它有祖國，完全屬於自己的天空、自己的太陽。

然而，普遍的共識是，自出機杼或別出心裁的文字，無論是科學、哲學或神學等等主題，翻譯不見得會嚴重折損原文的創見或巧思，而翻譯是否有損文學的獨創風格？損失又是多少？則是眾說紛紜，觀點不一。一九五〇年代末，出生於俄羅斯的語言學家和符號學家羅曼・雅克布森（Roman Jakobson）在影響深遠的〈論翻譯的語言學方面〉（On Linguistic Aspects of Translation）一文中主張，「從定義來說，詩歌（是）不可譯的。」小說家兼翻譯家弗拉基米爾・納博科夫（Vladimir Nabokov）贊同雅克布森的立場，與許多詩歌翻譯家一樣認為有韻律、格律、詩節的詩歌原則上是不能翻譯的，基於這個理由，他在一九六四年將亞歷山大・普希金（Alexander Pushkin）的《尤金・奧涅金》（*Eugene Onegin*）以散文形式譯成英語。

還有人採取更極端的立場。法國作家和哲學家尚—保羅・沙特（Jean-Paul Sartre）在著名的文章〈什麼是文學？〉（What is Literature?）中提到，閱讀本身就是一種「再創造」，不啻將閱讀本身理解為翻譯的一種形式。從某種意義來說，翻譯只是一次獨特——雖然特別詳盡——閱讀經驗的記錄。法國理論家羅蘭・巴特（Roland Barthes）延續這個理論傳統，認為「文學作品（作為產品的文學）的目標，是使讀者不再是文本的消費者，而是文本的生產者。」選擇推敲是閱讀複雜文本不可或缺的關鍵，讀者必須根據自己對其意義的理解，重新組合頁面上的文字。閱讀成了一種個人主義的創作過程，而非一股腦吸收他人的創作，照單全收。

當代美國作家兼翻譯家艾略特・溫伯格（Eliot Weinberger）以翻譯諾貝爾文學獎得主、墨西哥詩人和外交家奧克塔維奧・帕斯（Octavio Paz）的著作而聞名，他也提過類似的論點：「每首詩的每一次閱讀，不管語言，都是一種翻譯行為：翻譯進讀者的知識和情感生活之中。」他繼續說，由於我們的知識和情感生活不斷的變化，「同一首詩不能讀兩次，」因為我們對這首詩的投入會根據當前的關注和情緒而變化。溫伯格解釋：

> 翻譯是一種精神鍛鍊，取決於譯者的自我瓦解：對文本的絕對謙卑。糟糕的譯文是譯者引人注意的聲音——也就是說，你沒有看到詩人，只聽到譯者在說話。

他在詩集的結尾處提醒我們：「重點是，翻譯不只是從一部字典跨越到另一部字典；它是對詩的重新想像。」由於沒有一個讀者是一成不變，每一次閱讀都會是不同的閱讀，而非只是另一次的閱讀。當涉及到在兩種根本不同的語言之間移動時，這個觀點就更有說服力了。

二〇一六年，溫伯格出版《看王維的十九種方式（還有更多方式）》〔*19 Ways of Looking at Wang Wei*（*with More Ways*）〕，邀請奧克塔維奧・帕斯撰寫後記，這本書是溫伯格一九八七年首次出版的《十九種方式》的擴充版，主題是研究八世紀唐朝詩人王維的一首五言絕句：

空山不見人，
但聞人語響。
返景入深林，
復照青苔上。

溫伯格提供了一個逐字意譯的現代漢語版本，以及其他十七個英語、法語和西班牙語版本。擴充新版多提供了十六個版本，包括三個德語版本。因此，一共有三十五首從王維的原作衍生而得的詩，溫伯格最喜歡的是美國學者伯頓・沃森（Burton Watson）的版本：

Empty hills, no one in sight,
only the sound of someone talking;
late sunlight enters the deep wood,
shining over the green moss again.

那麼，這些翻譯多樣性的見解對我們的閱讀有什麼啟示呢？讀中文詩，與讀英語或其他非字符語言的詩，有許多不同的地方。書法本身是一種藝術形式，中文字的內部結構也有屬於自己的審美情趣。每一個中文字在紙上占據相同的空間，加上每一行恰好是五個字，所以王維的詩是一個方正的矩形。讀王維的詩也是在看這首詩，中國早期著名詩人大多是書法名家，王維的書法也和他的詩作同樣受人稱道。

看著一首中文詩時，讀者能夠識別一些中文字（表意文字）的具象特徵，即使不懂中文，也能立即注意到各種各樣的圖案。例如，第一行結尾是一個簡單的「人」，這個圖形在第二行和第三行（變成了「入」）中間再次出現，詩的最後也是簡單的一個「上」字，算是一個有棱有角略帶點綴版本的「人」，好像這個圖形「解體了」。還有，第一行第二個字是「山」，最後一個字是「人」，兩個字都可以被「讀」，或者被「看」成從更多的文字表達中衍生出來的抽象概念。美國詩人埃茲拉·龐德（Ezra Pound）很厲害，把第一行第四個字看成「眼睛長腳」，這個字正是「見」。一個中文字可以是名詞、動詞和形容詞，甚至還可能同時具有相反的含意，第三行第二個字「景」，既能讀成「ㄐㄧㄥˇ」，當成「光」解，又能讀成「ㄧㄥˇ」，意思則成了「影」，要閱讀或理解這個字，不能不考慮上下文。

溫伯格的王維詩歌翻譯的實驗證實了他的信念：一首成功的詩是由「活物」

組成，它的「功能有點像DNA，能產生個別的翻譯，是原文的親屬，而非全面複製。」詩，往往是最具流動性和多樣性的語言形式，讀詩是一種經驗，一樁要事，因此也是獨一無二，而一種譯本無非是這種閱讀——有時是觀看——的經歷紀錄。

看著一首中文詩時，讀者能夠識別一些中文字（表意文字）的表徵，非中文詩人有時也會試圖強調一首詩的視覺表現。法國詩人紀堯姆·阿波里奈爾（Guillaume Apollinaire）在《圖像詩集》（*Calligrammes*）中提供了很好的例子，圖11是他名為〈馬〉（Cheval）的詩。

閱讀文學

文學文本優劣或本質意義的分歧，或多或少取決於不同的閱讀解釋，而文學

圖 11　紀堯姆．阿波里奈爾的〈馬〉。（圖片來源：The Picture Art Collection/Alamy Stock Photo.）

歷史有多長，文學理論的歷史就有多長。但是，大學教育的興起，尤其是十九世紀之後，讓文學研究有了制度，也讓關於文學——或閱讀——的書籍迅速增加。文學可以說是探索閱讀的一流場所，因為很多文學作品都有歧義與矛盾，複雜難解。

主要在歐洲和美國，文學的討論、文學的優缺點、文學的需求和樂趣，在十九世紀末經歷了一次轉變。原本飽讀詩書的紳士之間——還有一些女性和記者——的熱烈對話，現在變成了大量專家組成的龐大行業，尤其是在大學裡，而且還站上了世界的舞臺。

現代文學批評多少可以這麼解釋：拒絕十九世紀歐洲浪漫主義者對於「民族精神」（Volksgeist，一個國家人民的獨特精神和性格）和「時代精神」（Zeitgeist）極其重要的解釋概念，不再強調文學作品產生的文化和時間脈絡，無論是社會政治、經濟還是個人。於是，兩個批評流派出現了：俄羅斯形式主義和英美新批評。顯示閱讀問題成了文學討論的重要核心。兩個流派有一個共同的焦點，即不把意義歸因於歷史背景，包括作者的生平以及作者的意圖，也不歸因於一套作品可能忠於或可能不忠於預設價值或再現符碼，而是對頁面上的形式和詞彙選擇賦予意義；「細讀」成了最重要的關鍵，在今日仍然是所有文學批評和理論努力的重點。

歐洲人普遍信奉「為藝術而藝術」（l'art pour l'art），在某些方面，形式主義是這個理念更有規範和系統的版本，這種觀點的支持者主張，藝術價值是內在的，脫離了任何道德、訊息或實用功能，我們閱讀是為了快樂，為了欣賞美；我們為閱讀而閱讀。這個文學的存在理由（raison d'être）見解，源於一群不滿意的作家和藝術家的努力，他們反對藝術一方面要傳達道德真理，另一方面又要代表一種公認的現實。他們還質疑藝術須有一個「主題」或中心焦點的成見，反而強調藝術這種人類創作品的獨特性，尤其以形式的角度來說。他們主張現實是「無形的」；另一方面，藝術品創造了一個結構化的世界，他們所倡導和讚美的，正是世界的現實與藝術品的現實之間的距離，這也是形式主義批評家的研究重點。廣義而言，文學現代主義派的著作，像T．S．艾略特等詩人和維吉尼亞．吳爾芙（Virginia Woolf）等小說家，他們的作品刻意打破傳統文學創作技巧，特別適合採用形式主義批評方法。

一個文學作品的有效性，甚至對其作為文學作品的地位，形式主義者的檢驗標準是：作品的意義只有以最初寫作時所用的語言才能正確表達，任何試圖概括或轉述的企圖，都不亞於對文學文本意義的背叛。閱讀原始文學文本是不可替代的，任何簡化的版本都是背叛。現代主義者主張，文學文本不再能依據作家自我表述或時代來討論，文本的意義不再是於文本之外，而是在文本之內，由紙面上的文字組成。文學作品所要的，無非是聰明的細讀。

因此，評論家的任務變成了識別文本的文學性，例如語言獨特性，風格、詩意或修辭特徵。這種文本分析需要一種特殊的閱讀方式：一種多維度的閱讀方式，不以線性為主，例如，詩中的聲律有賴於細心推敲內部以及行尾的韻律，與逐行、從左到右、從上往下的傳統閱讀方式不同，我們需要在超越線性閱讀的歸類中考慮特徵，比方說，分辨塑造短篇故事的圖像或敘述小說過程中所積累的符號。形式主義者認為，重點不只是識別特定技術的文學屬性，而是解釋這些發揮作用的形象語言如何構成意味深長的整體。我們經常發現文本有耐人尋味的歧義和悖論、諷刺技巧等等，這些特徵在不同歷史時代、不同體裁中反覆出現，導致有人質疑形式主義的手法是否有用，因為它們不是在「解釋」文學文本，而是讓文本變得更複雜。文學文本讀得越仔細，同化意義的問題就越大，閱讀揭示了文本的特點，這就需要更嚴謹的閱讀。

有些文學批評的討論受到哲學觀點的影響，在閱讀方面最重要的是現象學。這個觀點的第一個主要支持者是艾德蒙．胡塞爾（Edmund Husserl，1859–1938），他的主要興趣在於意識、期望或意向性（intentionality）的概念，他認為意識不是鏡像，而是一種意願。他的觀點可以用完形心理學（Gestalt psychology）的實驗來解釋：比方說，心理轉換將一個花瓶的圖像變成兩個面孔的圖像，就像魯賓（Rubin）的「花瓶」（見圖12）。

胡塞爾認為，我們意識到我們想要的是什麼，因此選擇看到什麼；在這個例子，不是看到臉，就是看到花瓶，不能同時看到兩者：我們選擇看到其中一個。我們閱讀時也發生同樣的過程，我們希望或決心讓可能模棱兩可的東西有特定的「涵義」。

圖 12　魯賓的「花瓶」。（圖片來源：Oxford University Press ANZ.）

常識閱讀

細讀或廣泛的文學分析的價值一直受到質疑，特別是創意作家的質疑。小說家弗拉基米爾．納博科夫認為，好的讀者不會為了「沉迷於歸納的學術目的」而讀書，尤其是那些被認為是「偉大的」著作。詹姆斯．喬伊斯的孫子史蒂芬．J．喬伊斯（Stephen J. Joyce）說過：「如果我的祖父在這裡，他一定會笑死的……誰都可以拿起《都柏林人》（*Dubliners*）和《一個青年藝術家的肖像》（*A Portrait of the Artist as a Young Man*）享受閱讀樂趣，不需要學術指導、理論和複雜難懂的解釋，《尤利西斯》也一樣，如果你能夠將所有的喧譁和叫嚷置於腦後。」他後來還質疑，美國國會圖書館裡那兩百多本文學批評書籍，究竟能否為他祖父的文學成就增添任何實質的價值。

近來文學討論的範圍擴大了，因此文學文本的閱讀經常被當作文化產品來討論，並與其他產品一起思考：例如，人類學數據、語言學領域的進展、旅行指南、監獄制度和學校教科書。政治時刻——特別是生態和國際政治危機——也開始關注文學批評家。暗示「理論」已經結束的書名也出現了：湯瑪斯・杜契提（Thomas Docherty）的《理論之後》（*After Theory*，1990），班哲明・班奈特（Benjamin Bennett）的《超越理論：十八世紀德國文學與諷刺詩學》（*Beyond Theory: Eighteenth-Century German Literature and the Poetics of Irony*，1993），大衛・斯科特・卡斯坦（David Scott Kashan）的《理論後的莎士比亞》（*Shakespeare After Theory*，1999），瓦倫丁・坎寧安（Valentine Cunningham）的《理論之後的閱讀》（*Reading After Theory*，2001），泰瑞・伊格頓（Terry Eagleton）的《理論之後》（*After Theory*，2003）等等。但是出版商在評論、方法、指南、手冊、讀本（特定領域的文本選集）、百科全書等方面保留了很大的市場，這不單是因為文學很困難，而是因為我們總是會對別人的閱讀感到興趣，如同頭一次閱讀後會選擇重讀的作品會讓我們感到好奇。在一個資訊飽和的時代，讀者對單一作者的簡要指南和介紹還是很感興趣。

重讀

我們對重讀這個主題的興趣越來越大——這個事實引起了一些說法，顯示不是只有讀詩才有獨一無二的閱讀體驗。美國文學學者約翰・凱萊赫（John Kelleher）這麼描述自己接連幾次閱讀詹姆斯・喬伊斯的自傳體作品《一個青年藝術家的肖像》：

記得第一次遇到史蒂芬・迪達勒斯（詹姆斯・喬伊斯）時，我才二十歲，我不知道喬伊斯怎麼會對我有這麼多的了解……也許讀到第三遍的時候，我才明白，史蒂芬畢竟有點自命清高，而且到了我不再認同他的程度（我怎麼能夠？）。過了一陣子，我發現喬伊斯知道史蒂芬自命清高；事實上，他用一種諷刺的眼光看著史蒂芬。於是我明白了。至少我明白了，直到我不得不注意到作者的目光並不是純粹的諷刺，裡面也有同情，還有一種溫柔的、幽默的驕傲。

一部作品能否引發各種不同的解讀，一直被認為是「經典」文學作品的基本標準。在《為什麼讀經典？》（*Why Read the Classics?*）中，義大利作家伊塔羅．卡爾維諾（Italo Calvino）在與書名同名的第一章中提出了各種定義。第一個是：經典就是那些你經常聽到有人說「我在重讀……」、而不是「我在讀……」的書。在第一章節的末尾，他寫道：「人在完全成年後，第一次閱讀一部偉大的作品，會得到一種非凡的樂趣，這與一個人年少時的閱讀有很大的不同（儘管無法說樂趣是更多還是更少）。青春賦予每一次閱讀……獨特的滋味和意義，而到了成熟的年齡，則會欣賞到……更多的細節、層次和意義。」卡爾維諾進一步再提出的定義是：「經典是一本永遠不會說盡它所要說的一切的書。」

雖然有些老套，C．S．路易斯（C. S. Lewis）對重讀也有一番見解：

> 一個不懂文學的人，或許可以定義為書只會讀一次的人……我們不

會在第一次閱讀時就完全欣賞一個故事，直到好奇心、純粹的故事欲望得到了撫慰，沉沉睡去，我們才有閒暇去品味真正的美，在那之前，就像把醇酒浪費在只想要冷水滋潤的自然飢渴上。

C．S．路易斯是牛津大學的英語教授，他的見解是一個文學素養極深者的見解。法國作家、知識分子羅蘭．巴特有一個更明顯、更政治化的立場，一開始就指出重讀公然違抗貪婪的資本主義：「重讀，是一種與我們社會的商業和意識形態習慣相反的操作，商業和意識形態要我們在故事被消費（『吞食』）後『扔掉』故事，所以我們可以轉到另一個故事，買另一本書。」然後，他描述了重讀如何「在某些邊緣類別的讀者群（兒童、老人和教授）中被容忍」。他認為重讀的過程「駁斥讓我們相信第一次閱讀是初級的、天真的、非凡的，我們只需要之後再來『闡釋』、『理性探討』的說法。」巴特的觀點是，每一次接觸文學文本，都是一次獨特的接觸，重讀也不例外。

重讀一本書，是因為我們想要複製記憶中的原始閱讀體驗，還是我們重讀時知道這本書將會被「改變」——確切地說，我們已經改變了？珍・奧斯汀是我會重讀的小說家，我也絕非是唯一會重讀她的作品的人。第一次讀《傲慢與偏見》（*Pride and Prejudice*）時，愛情故事有沒有好的結果——尤其是伊莉莎白的愛情——是我最關心的問題，重讀時，我最享受的則是奧斯汀說故事的風格、尖銳的諷刺和深刻的觀察力，身為讀者的我，心靈和大腦都得到了滿足。以下是現在會令我著迷的一段文字：

她大聲叫道：「我做得多麼卑鄙！我一向自負有知人之明！一向自以為很有本事！一向看不起姐姐慷慨坦率的性情，而我竟用無用的或應受責備的不信任來滿足我的虛榮心，這個領悟多麼可恥！可是，這種恥辱又是多麼活該！即使我真的愛上了人家，也不該盲目到這該死的地步！但我的愚蠢不是愛情，而是虛榮心。起初認識他們兩位時，一個喜歡我，我很開心，一個忽視我，我很生氣，因此凡是與他們有關的事，我就把理智趕走，陷入了偏見和無知中。直到現在，我才知道自己是怎樣的人。」

我認為許多女性可以根據她們對於奧斯汀小說的理解和興趣來衡量自己的成長。反對重讀的人指出，值得讀的東西多到一輩子都讀不完，何必浪費寶貴的時間讀已經知道的書呢？但重讀的經驗讓我們對自己、他人和生活有了多重的認識。重讀一部作品，受到我們對首次閱讀的記憶的影響，也受到從「首次閱讀」到「再度閱讀」這段時間發生的所有經歷和意識改變而左右。如果我們想把閱讀理解成一種多方面的活動——想理解自己是誰——那麼重讀不是幼稚的倒退，也不是奢侈的放縱，更不是枯燥的學術行為，而是一種非常重要的習慣。

第七章

複數

閱讀，複數名詞

許多人，大多數人，大部分時間都在閱讀。但是我們所讀的東西有無數種形式，一定有理由讓「閱讀」（reading）成為一個具有新意的複數名詞（readings）。從表面上看，與閱讀有關的最大變化之一顯然是媒介。大多數人把大部分時間花在閱讀電子或數位媒體上——我們的家用電腦或筆記型電腦，我們的平板或智慧型手機。

不是只有我們會閱讀，幾十年來研究人員一直在研究機器閱讀。光學字元識別（OCR）是一項高度精細的技術，以機械或電子方式，將文本（無論是手寫的、打字的還是印刷的）轉換成機器編碼的文本，這項技術對於認知運算（AI和信號處理）、機器翻譯、文字轉語音技術等其他領域的發展都很重要。雖然在OCR方面的機器「閱讀」已經很發達，阿里巴巴（Alibaba）和微軟（Microsoft）等公司也下了重本投資，機器閱讀的理解力仍然有限。微軟取得若干的成功新經驗，但二〇一八年卻發布以下聲明：「要讓電腦能像人類一樣閱讀和理解一般文字，我們還有漫長的路要走。」

我們仍然在閱讀書本，但這種活動也越來越常與電子設備結合，小說讀者可能閱讀平裝本，也就是故事小書的現代化身，他們也可能閱讀部落客小說、推特文學（twitterature）以及在社交媒體平臺上流傳的故事。大部分的內容可以製成紙本書，但不是全部都可以，因為新媒體的創新包括互動層面，例如，需要觸控式螢幕或語音識別。讀者的掌控力越來越強——但在一定的範圍內。文學小說的讀者需要對一個世界進行帶有想像力的再創造，這一點在很多方面是獨特的，但同樣也是有限的。如同小說總是引起對話一樣，新媒體也允許「讀者」——或玩家、作家和粉絲——在網路上進行更複雜的互動。這些不同點很有意思。

在《網路文本：循路文學觀》（*Cybertext: Perspectives on Ergodic Literature*）一書中，艾斯本・亞瑟斯（Espen Aarseth）試圖回答一個看似簡單的問題：電

腦遊戲是否可以成為偉大的文學。他還探討了快速變化的數位媒體類型，是否從根本重塑了我們對「什麼是故事」以及「讀者─玩家可以承擔之角色」的想法。小說、電影、電視和廣播劇等敘事模式，在現代文化是否已經失去了主導地位和影響力？他問道，我們現在需要定義一種新類型的「賽博格文本性」（cyborg textuality）美學嗎？需要思考的新閱讀媒體已經太多了，以超文本小說（hypertext fiction）為例，它使用網路連結，讓讀者能夠自己規劃故事發展，僅根據可供選擇的文本的一小部分為基礎，以各種可能的結構，編排出一則故事。

然而，歐洲現代主義作家早已顛覆過印刷文字的線性技巧，如詹姆斯．喬伊斯（James Joyce）的《尤利西斯》（*Ulysses*，1922）、豪爾赫．路易斯．波赫士（Jorge Luis Borges）的《歧路花園》（*The Garden of Forking Paths*，1941）、伊塔羅．卡爾維諾（Italo Calvino）的《命運交織的城堡》（*The Castle of Crossed Destinies*，1973）。超文本的特徵，包括非線性、關聯、多路徑（一個來自電腦的術語），已經出現在喬伊斯所運用的內心獨白，提供了貫穿整部小說的零散細節，鼓勵一種新的閱讀方式：不但經常打破散文的線性規律，還慫恿讀者來回翻頁，甚至跳過部分文字。從某種意義上說，讀者在為喬伊斯這部鉅著中創作自己的獨特版本。「自選冒險」青少年叢書（Choose Your Own Adventure）及其他同類型的遊戲書，也都按照與超文本相同的原則構建，只是限制較多，《歧路花園》就是一個早期的著名例子。

馬克・薩波塔（Marc Saporta）的《作品第一號》（*Composition 1*，1962）就算不是第一套，也是早期出現的「盒裝書」。顧名思義，這是一本裝在盒中的書，只是它沒有解釋這本「書」並沒有裝訂，每一張活頁都有一則獨立的敘述片段，讀者的工作是將活頁組合成一本「書」，讀者可以選擇一部分的活頁，也可以全部用上。

亞瑟斯和其他人也對數位文學的美學及運作感到興趣，不僅僅是超文本小說，還有電腦遊戲、電腦生成的小說和詩歌，以及更多近期的創新，包括合作製作的網路文本遊戲ＭＵＤ（Multi User Dungeons，多人網路遊戲）。亞瑟斯以

「循路」（ergodic）形容一種需要讀者付出與「非循路」文本不同努力的閱讀過程，但他並沒有強調電子和互動閱讀模式的基本新鮮感，而是將我們的注意力帶到讀者與文本互動時預期會有的不同方式上。他指出，紀堯姆．阿波里奈爾的《圖像詩集》已經要求讀者用新方式閱讀，創造一個有意義的次序。《網路文本：循路文學觀》認為新的數位文類是前數位時代傳統的一部分，否認紙本和電子之間經常被提出的明顯分歧，他的結論是，就相對於「紙上」故事而言：「我們有可能在這些文本中探索、迷失和發現密道，這不是隱喻，而是透過文本機器的拓撲結構確實發生。」

挖掘新敘事可能性的新媒體和新敘事理念對讀者提出了新要求，循著傳統路線創作的新類型小說也是如此，例如，在英美小說中，最近興起的神經科學小說（neurological novel）就是一個很好的例子，有人認為伊恩．麥克伊旺的《持續的愛》（*Enduring Love*，1997）是最早也是最成功的作品。小說人物之一的傑德患有情愛妄想症（又稱克雷宏波症候群，以紀念法國精神病學家克雷宏波），這種病由患者的妄想狀態來判定，他（或更常見的是她）認為某個社會地位和／或職業地位更高的人愛上了自己。此外——這一點非常重要——小說出版時，在附錄加上由虛構的精神病醫生撰寫的病歷以及一份參考書目。這些隨小說本身而來的附錄，同時也是小說的一部分，讀不讀由讀者自由決定，但它們暗示著，閱讀附錄將會讓閱讀體驗加分——或者可能臻至完美。這是否意味著我們需要對所謂的精神疾病有適當的了解，才能對小說有適當的理解呢？

根據該書的封面，馬克·哈登（Mark Haddon）的《深夜小狗神祕習題》（*Curious Incident of the Dog in the Night-Time*）說的是一個患有亞斯伯格症、高功能自閉症或學者症候群的少年的故事。哈登後來否認這本書是「關於」亞斯伯格症患者，他寫道：「這是一本關於差異的小說，關於身為一個局外人，關於以一種令人驚訝和揭示的方式看待世界。這本書並沒有專門描述任何一種特定的障礙。」

這類小說對讀者提出特殊的要求，部分是因為這些小說或多或少受到神經科學新發現的影響，但在小說與其他知識領域的發現之間來回移動，肯定是現代小說的另一個關鍵特徵。一九四九年，文學評論家萊昂內爾·特里林（Lionel Trilling）寫道：「我們的文化中有一個幽靈——那就是人最終將無法說出：『他們相愛了，然後結婚了。』更不用說理解《羅密歐與茱麗葉》（*Romeo and Juliet*）的語言，卻勢所必然會說：『他們的性衝動是相互的，他們激發各自的情慾，在同一個參考框架中進行整合。』」特里林認為佛洛伊德和榮格心理學對人類生活提出了簡化的解釋，在這段話中嘲笑這類的解釋以及其受歡迎的重塑。

今天，這些對我們的決定、行動和感覺的解釋，大致被神經科學的說明所取代。我們都知道腦內啡、鴉片受體及它們的鎮痛作用，只是我們是否真的了解大腦的生化構成中的激素複雜性，那可能就另當別論了。但特里林「診斷」出的潛在焦慮依然存在，我們想要相信我們比大腦更強大，我們是嗎？我們繼續喜歡閱讀當代小說，原因包括了小說探索的許多引人注目的問題之一——因為某些類型的閱讀，最重要的是刺激了我們的思想。今日的閱讀存在著一種緊張，或者至少程度不一的緊張，在一方面是人們希望得到錦囊佳句的渴望，一個以盡可能簡約方式傳達大量訊息的有意義片段；在另一方面，則是充滿歧異文學文本的彈性。

在詼諧小說《非普通讀者》（*The Uncommon Reader*），艾倫・班奈（Alan Bennett）做了一個很好的收尾，他讓女王陛下宣布：「簡報不是閱讀，事實上，它是閱讀的對照。簡報簡明扼要，實事求是，切中要點。閱讀是不整齊的，是散漫的，永遠引誘著你。簡報結束一個主題，閱讀卻是打開了一個主題。」

參考資料

第一章：什麼是閱讀？

Laqueur, Thomas, *Solitary Sex: A Cultural History of Masturbation* (Cambridge, Mass.: MIT Press, 2003)

Tschichold, Jan, *The Form of the Book: Essays on the Morality of Good Design* (Dublin: Hartley & Marks, 1991).

Rushdie, Salman, 'Notes on Writing and the Nation', *Index on Censorship*, vol. 26, no. 3 (1997).

Fischer, Steven Roger, *A History of Reading* (London: Reaktion Books, 2004).

Thrace, Arther S., *What Ivan Knows that Johnny Doesn't* (New York: Random House, 1961).

Coomaraswamy, Ananda Kentish, *The Bugbear of Literacy* (Bedford: Perennial Books, 1979).

第二章：遠古世界

Trimpi, Wesley, 'The Definition and Practice of Literary Studies', *New Literary History*, vol. 2, no. 1, *A Symposium on Literary History* (Autumn 1970).

Plato, trans. H. N. Fowler (London: Loeb Classical Library, 1913).

Finkelstein, David, and McCleery, Alistair, *An Introduction to Book History* (2nd edn, London and New York: Routledge, 2013).

Hackforth, R., *Plato's Phaedrus* (Cambridge: CUP, 1952, 2001).

Fischer, Steven Roger, *A History of Reading* (London: Reaktion Books, 2004).

Nietzsche, Friedrich, *Beyond Good and Evil*, trans. R. J. Hollingdale with an introduction by Michael Tanner (London: Penguin, 2003).

Fenton, James, 'Read my Lips', *The Guardian* (29 July 2006).

Balmer, Josephine (translator) , *Sappho. Poems and Fragments* (Hexham: Bloodaxe Books, 2nd edn, 2018).

第三章：閱讀手抄本，閱讀印刷品

Brown-Grant, Rosalind, *Christine de Pizan and the Moral Defence of Women: Reading beyond Gender* (Cambridge: CUP, 1999).

Dittmar, Jeremiah E., 'Information Technology and Economic Change: The Impact of the Printing Press', *The Quarterly Journal of Economics*, vol. 126, no. 3 (August 2011).

McKitterick, David, *Print, Manuscript, and the Search for Order* (Cambridge: CUP, 2003).

Manguel, Alberto, *A History of Reading* (London: Flamingo, 1997).

Munday, Jeremy, *Introducing Translation Studies: Theories and Applications* (Abingdon: Routledge, 2001).

Smith, Helen, *Grossly Material Things: Women and Book Production in Early Modern England* (Oxford: OUP, 2012).

Kerby-Fulton, Kathryn, Thompson, John J., and Baechle, Sarah, *New Directions in*

Medieval Manuscript Studies and Reading Practices: Essays in Honour of Derek Pearsall (Notre Dame, Ind.: University of Notre Dame Press, 2014).

Ginzburg, Carlo, *The Cheese and the Worms: The Cosmos of a Sixteenth Century Miller* (*Baltimore: Johns Hopkins University*,1984).

Colclough, Stephen, *Consuming Texts: Readers and Reading Communities, 1695–1870* (Basingstoke: Palgrave Macmillan, 2007).

第四章：現代閱讀

Cavallo, Guglielmo, and Chartier, Roger (eds) , *A History of Reading in the West*, trans. Lydia G. Cochrane (Oxford: Polity Press, 1999).

Roser, Max, 'Books'. Published online at OurWorldInData.org. (2017).

Attar, Samar, *The Vital Roots of European Enlightenment: Ibn Tufayl's Influence on Modern Western Thought* (Lanham, Md: Lexington Books,2010).

Watt, Ian, *The Rise of the Novel: Studies in Defoe, Richardson and Fielding* (London: Penguin,2015).

Jack, Belinda, 'Goethe's Werther and its Effects', *Lancet Psychiatry*, vol. 1, no. 1 (June 2014).

Darling, John, and Van De Pijpekamp, Maaike, 'Rousseau on the Education, Domination and Violation of Women', *British Journal of Educational Studies*, vol. 42, no. 2 (1994).

Schroder, Anne L., 'Going Public against the Academy in 1784: Mme de Genlis Speaks out on Gender Bias', *Eighteenth-Century Studies*, vol. 32, no. 3 (Spring 1999).

Jack, Belinda, *The Woman Reader* (London and New Haven: Yale University Press, 2012).

Barbauld, Anna Laetitia (ed.) , *The Correspondence of Samuel Richardson*, vol. 6 (London: Richard Phillips, 1804; reprint New York: AMS Press, 1966).

第五章：限制閱讀

Fishburn, Matthew, *Burning Books* (Basingstoke: Palgrave Macmillan, 2008).

Nafisi, Azar, *Reading Lolita in Tehran: A Memoir in Books* (London: Fourth Estate, 2004; London: Penguin Classics, 2015).

Abanes, Richard, *Harry Potter and the Bible: The Menace behind the Magick* (Seattle, Wash.: Horizon Books, 2001).

Hill, Nathan, 'Harry Potter and Other Evils, or How to Read from the Right', *The Personalist Forum*, vol. 15, no. 2 (Fall 1999).

McDonald, *Peter D., The Literature Police: Apartheid Censorship and its Cultural Consequences* (Oxford: OUP, 2009).

Coetzee, J. M., *Giving Offense: Essays on Censorship* (Chicago and London: University of Chicago Press, 1996).

UNESCO, Institute of Statistics, Literacy.

Kirsop, Wallace, *Books for Colonial Readers: The Nineteenth-Century Australian Experience* (Melbourne: The Bibliographical Society of Australia and New Zealand in association with The Centre for Bibliographical and Textual Studies, Monash University, 1995).

Shattuck, Roger, *Forbidden Knowledge: From Prometheus to Pornography* (New York: St Martin's Press, 1996).

Potter, Rachel, *Obscene Modernism: Literary Censorship and Experiment 1900–1940* (Oxford: OUP, 2013).

第六章：理解閱讀內容

Weissbort, Daniel, and Eysteinsson, Ástráður, *Translation: Theory and Practice: A Historical Reader* (Oxford: OUP, 2006).

Allen, J. S., *In the Public Eye: A History of Reading in Modern France* (Princeton:

Princeton University Press, 1992).

Jakobson, Roman, 'On Linguistic Aspects of Translation', in R. Brower (ed.) , *On Translation* (Cambridge, Mass.: Harvard University Press, 1966).

Boase-Beier, J., Fawcett, A., and Wilson, P., *Literary Translation: Redrawing the Boundaries* (New York: Springer, 2014).

Weinberger, Eliot, and Paz, Octavio, *19 Ways of Looking at Wang Wei: How a Chinese Poem is Translated* (New York: Moyer Bell, 1987).

Kelleher, John V., 'The Perceptions of James Joyce', *The Atlantic Monthly* (March 1958).

Calvino, Italo, and McLaughlin, Martin (ed. and trans.) , *Why Read the Classics?* (London: Penguin, 2009).

Lewis, C. S., *On Stories: And Other Essays on Literature* (New York: HarperCollins, 2017).

Barthes, Roland, *S/Z* (Paris: Éditions du Seuil, 1970).

第七章：複數

Aarseth, Espen J., *Cybertext: Perspectives on Ergodic Literature* (Baltimore: Johns Hopkins, 1997).

延伸閱讀

第一章：什麼是閱讀？

Coomaraswamy, Ananda Kentish, *The Bugbear of Literacy* (Bedford: Perennial Books, 1979).

Currey, James, *Africa Writes Back: The African Writers Series and the Launch of African Literature* (Oxford: James Currey, 2008).

Darnton, Robert, *A Case for Books: Past, Present and Future* (Philadelphia: Perseus Books, 2009).

Eliot, Simon, and Rose, Jonathan (eds) , *A Companion to the History of the Book* (Oxford: Blackwell, 2009).

Fraser, Robert, *Book History Through Postcolonial Eyes: Rewriting the Script* (Abingdon and New York: Routledge, 2008).

Jack, Belinda, *The Woman Reader* (London and New Haven: Yale University Press, 2012).

Laqueur, Thomas, *Solitary Sex: A Cultural History of Masturbation* (Brooklyn: Zone

Books, 2003).

Nord, David Paul, Rubin, Joan Shelley, and Schudson, Michael, *A History of the Book in America*, volume 5: 'The Enduring Book: Print Culture in Postwar America' (Chapel Hill, NC: The University of North Carolina, 2009).

Puchner, Martin, *The Written World: The Power of Stories to Shape People, History, Civilization* (New York: Random House, 2017).

SEAL website, Sources of Early Akkadian Literature.

Suarez, Michael, and Woudhuysen, H. R. (eds) , *The Oxford Companion to the Book* (Oxford: OUP, 2010).

第二章：遠古世界

Fischer, Steven, Roger, *A History of Reading* (London: Reaktion Books, 2004).

Gavrilov, A. K., 'Techniques of Reading in Classical Antiquity', *The Classical*

Quarterly, vol. 47, no. 1 (1997).

Lyons, Martyn, *Books: A Living History* (London: Thames and Hudson, 2011).

Manguel, Alberto, *A History of Reading* (Canada: Vintage, 1998)

第三章：閱讀手抄本，閱讀印刷品

Eisenstein, Elizabeth L., *The Printing Revolution in Early Modern Europe* (Cambridge: CUP, 2013).

Febvre, Lucien, and Martin, Henri-Jean, *The Coming of the Book: The Impact of Printing 1450–1800* (London: New Left Books, 1976).

Gillespie, Alexandra, and Wakelin, Daniel, *The Production of Books in England 1350–1500* (Cambridge: CUP, 2011).

Ginzburg, Carlo, *The Cheese and the Worms: The Cosmos of a Sixteenth Century Miller* (Baltimore: Johns Hopkins University, 1984).

Kerby-Fulton, Kathryn, Thompson, John J., and Baechle, Sarah, *New Directions in Medieval Manuscript Studies and Reading Practices: Essays in Honour of Derek Pearsall* (Notre Dame, Ind.: University of Notre Dame Press, 2014).

McLuhan, Marshall, *The Gutenberg Galaxy: The Making of Typographical Man* (Toronto: University of Toronto Press, 1965).

Man, John, *The Gutenberg Revolution* (London: Review, 2002).

Smith, Helen, *Grossly Material Things: Women and Book Production in Early Modern England* (Oxford: OUP, 2012).

第四章：現代閱讀

Petroski, Henry, *The Book on the Shelf* (New York: Knopf, 1999).

Watt, Ian, *The Rise of the Novel: Studies in Defoe, Richardson and Fielding* (London: Penguin, 2015).

第五章：限制閱讀

Coetzee, J. M., *Giving Offense: Essays on Censorship* (Chicago and London: University of Chicago Press, 1996).

Croteau, David, Hoynes, William, and Hoynes, W. D., *The Business of Media: Corporate Media and the Public Interest* (Thousand Oaks, Calif.: Pine Forge Press, 2001).

Fish, Stanley, *There's No Such Thing as Free Speech ... and it's a good thing too* (Oxford, OUP, 1994).

Fishburn, M., *Burning Books* (London: Palgrave Macmillan, 2008).

Kirsop, Wallace, *Books for Colonial Readers: The Nineteenth-Century Australian Experience* (Melbourne: The Bibliographical Society of Australia and New Zealand in association with The Centre for Bibliographical and Textual Studies, Monash University, 1995).

Lewy, Guenter, *Harmful and Undesirable* (Oxford: OUP, 2016).

McDonald, Peter D., *The Literature Police: Apartheid Censorship and its Cultural*

Consequences (Oxford: OUP, 2009).

Moore, Nicole, *The Censor's Library* (Queensland: University of Queensland Press, 2012).

Morrison, Toni, *Burn This Book: Pen Writers Speak Out on the Power of the Word* (New York: Harper Collins, 2009).

Shattuck, Roger, *Forbidden Knowledge: From Prometheus to Pornography* (New York: St Martin's Press, 1996).

Tschichold, Jan, *The Form of the Book: Essays on the Morality of Good Design* (London: Lund Humphries, 1991).

第六章：理解閱讀內容

Boase-Beier, J., Fawcett, A., and Wilson, P., *Literary Translation: Redrawing the Boundaries* (New York: Springer, 2014).

Potter, Rachel, *Obscene Modernism: Literary Censorship and Experiment 1900–1940* (Oxford: OUP, 2013).

Weinberger, Eliot, and Paz, Octavio, *19 Ways of Looking at Wang Wei: How a Chinese Poem is Translated* (New York: Moyer Bell, 1987).

Weissbort, Daniel, and Eysteinsson, Ástráður, *Translation: Theory and Practice: A Historical Reader* (Oxford: OUP, 2006).

第七章：複數

Aarseth, Espen J., *Cybertext: Perspectives on Ergodic Literature* (Baltimore: Johns Hopkins, 1997).

致謝

感謝您允許本書使用以下版權文字：

Extract from Anne L. Schroder. ‘Going Public against the Academy in 1784: Mme de Genlis Speaks out on Gender Bias.’ *Eighteenth-Century Studies*, vol. 32, no. 3 (1999): 376–82.

Extract from Sappho, translated by Josephine Balmer, *Sappho: Poems and Fragments 2/e expanded* (Bloodaxe Books, 2019). Reproduced with permission of Bloodaxe Books. <www.bloodaxebooks.com>.

國家圖書館出版品預行編目(CIP)資料

閱讀：人與世界跨越時空的連結／貝琳達・傑克（Belinda Jack）著；呂玉嬋譯 . -- 初版 . -- 臺北市：日出出版：大雁文化事業股份有限公司發行 , 2022.10
216 面；15×21 公分
譯自：Reading : a very short introduction
ISBN 978-626-7044-74-2（平裝）

1.CST: 閱讀　2.CST: 閱讀指導

019.1　　111014765

閱讀：人與世界跨越時空的連結

Reading: A Very Short Introduction

作　　者　貝琳達・傑克 Belinda Jack
譯　　者　呂玉嬋
責任編輯　夏于翔
封面設計　萬勝安
內頁排版　李秀菊
發 行 人　蘇拾平
總 編 輯　蘇拾平
副總編輯　王辰元
資深主編　夏于翔
主　　編　李明瑾
業　　務　王綬晨、邱紹溢
行　　銷　曾曉玲
出　　版　日出出版
　　　　　地址：台北市復興北路 333 號 11 樓之 4
　　　　　電話（02）27182001　傳真：（02）27181258
發　　行　大雁文化事業股份有限公司
　　　　　地址：台北市復興北路 333 號 11 樓之 4
　　　　　電話（02）27182001　傳真：（02）27181258
　　　　　讀者服務信箱 E-mail:andbooks@andbooks.com.tw
　　　　　劃撥帳號：19983379 戶名：大雁文化事業股份有限公司
初版一刷　2022 年 10 月
定　　價　350 元

ISBN 978-626-7044-74-2